徳　間　文　庫

貧乏神あんど福の神

# 秀吉が来た！

田　中　啓　文

徳　間　書　店

目　次

# 主な登場人物

筆作りの内職で
糊口を凌ぐ貧乏絵師。

弘法堂という
筆屋の丁稚。

## キチボウシ

幸助の家の屏風に棲みつく厄病神。
普段はネズミのような姿で現れる。

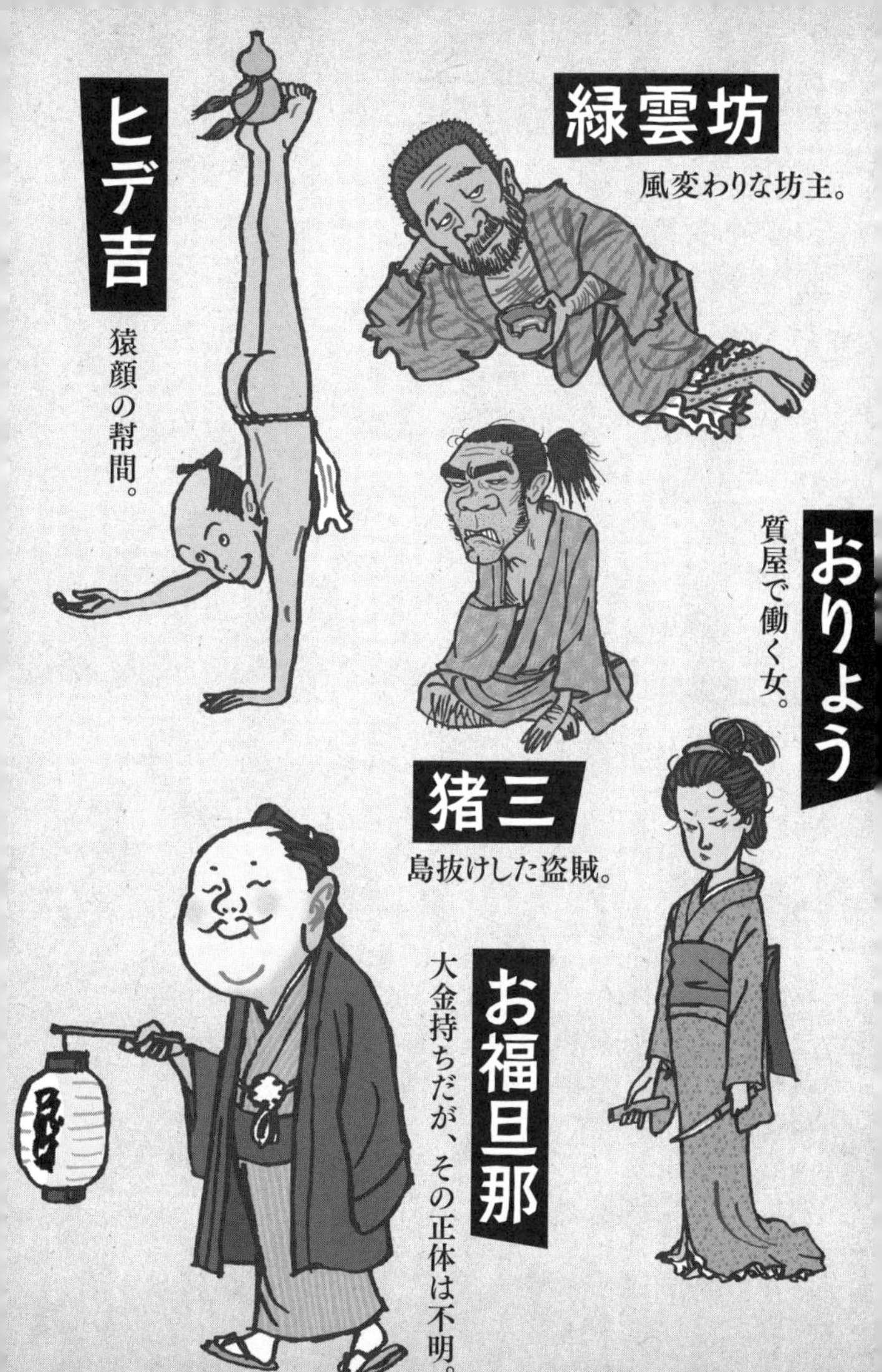
緑雲坊
風変わりな坊主。
ヒデ吉
猿顔の幇間。
おりょう
質屋で働く女。
猪三
島抜けした盗賊。
お福旦那
大金持ちだが、その正体は不明。

イラスト：山本重也

デザイン：ムシカゴグラフィックス　鈴木俊文

# 秀吉が来た！

　道頓堀の朝は早い。芝居は日の出とともにはじまり、日の入りとともに終わるのだ。だから、まだ暗いうちから大勢の客が押し寄せ、道にあふれている。道頓堀五座と呼ばれる大きな芝居小屋がずらりと並び、人気役者たちがしのぎを削っている。水茶屋、食べ物屋なども軒を並べており、普段から大賑わいのこの界隈だが、今日集まっている客の大半の目当ては「角の芝居」である。十日ほどまえに初日を開けた狂言「立身日出勢」が大当たりとなり、評判が評判を呼んで客が日に日に増えているのだ。

「見てみい、すごいやないか」

「ほんまや。ようでけとる」

「角の芝居」のまえで皆が歓声を上げた。そこには、高さ二丈（約六メートル）ほどもある巨大な武者の人形が置かれていた。鎧を着、太刀を佩き、見得を切っている。顔は真っ赤で猿に似ていた。皆は木戸に並びながらその猿面武者を見上げた。その後ろには、八枚の絵看板がずらりと掲げられていて、これも一度見たら忘れられない独特の絵柄のものであった。

「この人形作るのに五百両かかったらしいで。気合い入っとるなあ」

「豪儀なもんや」

「立身日出勢」は、太閤秀吉の一代記である。羽柴秀吉を真柴日枝義、徳川家康を奥河井出安と名前は置き換えてあるが、狂言の題名の「日出」はもちろん「秀」にかけてあるのだ。なんの手づるもない百姓の子日吉丸が侍となり、みずからの知恵だけを頼りに立身出世を遂げて、ついには天下人となるまでを描いた痛快な内容であった。最後は、北野の大茶会において千人の客をまえにして、秀頼の将来を心配する淀殿に秀吉が、

「心配いらぬわ。三万貫の黄金をある場所に隠してある。欲深どもには見つからぬ場所じゃ。それを全部秀頼につかわすぞ」

と高笑いする場面で終わる。

「近頃、いろいろとうっとうしいことが多いさかいなあ」

「そやなあ。お上の引き締めがきついからしんどいわ。わてら庶民の楽しみを取ることばっかり考えとる」

「米も味噌も酒も……ものの値段は上がる一方や。大きい声では言えんけど、これもみんなお上が悪いのや」

「そういうときにはやっぱり太閤さんが出世する話観るのが一番すーっとするわ」

「そやなあ。なんちゅうたかて大坂は太閤さんの土地やさかいな」

そのとき、

「どけ、どけ、どけどけどけどけ！」

大声でがなり立てながら皆を押し分けてやってくる若い男がいた。着流しに黒い羽織の侍である。手に十手を持っているところからして、町奉行所の同心だろう。瓜のように顎が長く、ひげ剃りあとの青さが目立つ。後ろに小者たちを引き連れており、小者たちは長い刺股、突棒、縄などを手にしている。

「なんや、町役人。芝居観たいんやったらちゃんと並んで入れ」

「そうじゃ。わしら早うから来て、こないして待っとるのや」

こういうとき大坂の町人は侍など屁とも思わぬ。

「たわけめ！　芝居見物などではない。お上の御用である。そこをどけと申すに」

「なんでどかなあかんのや。今からわてらは芝居観るのや」

「ははは……この芝居は中止だ」

「な、なんやて？　勝手なこと抜かすな。おまえこそ帰れ！」

同心は「帰れ」と言った町人を十手で殴りつけた。町人はその場に倒れ、並んでいたものたちはさっと後ろに引いた。同心は倒れた男に向かって、

「貴様はさっき、大坂は太閤さんの土地だと申していたな。大坂は徳川将軍家の土地である。——白八、こやつに縄をかけよ」

同心は後ろにいた手下に声をかけた。

「へ？　それぐらいのことでお縄にしますのか」

「公方さまを冒瀆したのだから当然だ。おまえは私の言いつけに逆らうのか！」

白八と呼ばれた手下は、しかたなく倒れた男を抱え起こし、縛った。同心は客たちに向かって声を張り上げ、

「私は西町奉行所定町廻り同心古畑良次郎だ。この芝居は、豊臣秀吉を称揚し、徳川家を愚弄する不届き至極なものにちがいない。お上より本日限りで中止にせよとのお沙汰が下った。——それっ、やってしまえ」

小者たちは顔を見合わせて、

「あのー……ほんまにやってもええんだすか。お奉行さまは、なるべく騒ぎにならんように中止させろ、て言うてはったそうだすけど……」

「あったりまえだ。ほかのだれでもない、この私が命じておるのだぞ。打ち合わせどおりにいたせ」

「へえ……あとでわてらが叱られんようにしとくなはれや」

「心配いらぬ」

「そ、そうだっか。ほな……」

小者たちは刺股や突棒でいきなり猿面武者の人形を破壊しはじめた。人形の首が取れ、落下した。小者たちは、さらに役者を描いた絵看板なども叩き割りはじめた。小屋のなかから数人の男が走り出てきた。

「なにをするのや、やめてくれ！」

古畑は先頭の男を凶眼でにらみつけ、

「なんだ、おまえは。お上の御用を止め立てすると容赦せぬぞ」

「わしはこの芝居の座頭の市川黒太夫や」

「そうか、おまえが張本人だな」

古畑がそう言ったとき、首を失った人形の胴体が前のめりに倒れ、地面にぶつかってばらばらになった。黒太夫は壊れた人形を呆然として見つめ、

「なんちゅう罰当たりなことを……」

「罰当たりだと？　お上はこの大坂から豊臣家の痕跡をことごとく消し去りたいと思うておられる。先年、『絵本太閤記』の版木が没収になり、錦絵が発禁になったのを忘れたか。太閤秀吉の一代記を上演するなど、とても許されることではない。どうせ家康公を悪しざまに描いておるのだろう」

「そんなことはございまへん。お恐れながら家康公は稀代の英雄という役どころ。それに、秀吉を日枝義、家康を井出安と名前はみな変えてございます」

「けっ！　もとがすぐわかる変え方ではなにもならん」

「それにしても、いきなり潰しにかかる、というのは無茶やおまへんか。台本はちゃんと事前に町奉行所にお届けして地方役のお役人にもお奉行さまにもお目通しいただき、お許しを得とります」

地方役与力の職掌には、興行ごとの検分などもその職掌に入っていた。

「うるさい！　方針が変わったのだ。――白八、こやつらに縄打て」

「へえへえ、またかいな」

白八は座本たちを縛り上げた。古畑は小者たちに、

「私は奉行所に戻るゆえ、おまえたちはこの小屋を厳重に封鎖せよ。よいな！」

そう命じると、

「不届きものども、きりきり歩め！　ああ、手柄を立てたあとは気分がよいのう」

そして、胸を張り、大いばりで歩き出した。残された客たちは道に唾(つば)をはきかけた。

しくしくと泣いているみつに葛幸助(かっこうすけ)は言った。

「そうか……それはかえって気の毒なことをしたな」

顎の無精ひげをぼりぼり掻(か)きながら、若い娘にどう声をかけてよいか。

「そんなことおまへん。先生のご厚意はありがたいと思とります」

みつの父親であり、この長屋の家主でもある藤兵衛(とうべえ)はそう言った。髪だけでなく眉(まゆ)にも白髪が混じっており、顔の平べったい人物である。

「そもそもいつもぴーぴー、いや、貧乏、いや、あまりお金をお持ちでない先生から、芝居のご招待をいただくとは思うておりまへんでした。ありがたいことやと、みつを連れて久々の芝居行きをしましたのやが……」

ここは福島羅漢(ふくしまらかん)まえの「日暮らし長屋」という裏長屋の一室である。「日暮らし長屋」というとなんだか風流な名前のようだが、要するに「その日暮らし」のものたちが集まっている貧乏長屋である。「葛鯤堂」という看板を掲げている絵師の幸助もそのひとりだ。かつては狩野派の絵師だった父親の跡を継いで、とある大名家に仕えていたが、描く絵が独特すぎてクビになり、大坂に出てきたのだ。しかし、絵師としての仕事もなく、裏長屋に逼塞ということになった。今は、たまに瓦版の挿絵を描くほかは、筆屋の「弘法堂」から筆職人としての内職仕事をもらい、細々と暮らしている。月代も伸び放題、着ているものも垢じみた着流し一枚である。飯も食べたり食べなかったりなので痩せこけている。

「みつにとっては生まれてはじめての芝居見物。序幕から観せてやりたいと朝一番から連れていきましたのやが、まさか中止になるとは……」

「なにゆえ中止になったのだ」

「なんでも狂言の中身が、太閤さんを褒めたたえてるとか……」

「ふーむ……名前を変えたら、たいがいの狂言は許可されると聞いていたが……」

葛幸助は「立身日出勢」の絵看板を手掛けたのである。その関係で公演に招待されたのだ。しかも、桟敷である。しかし、毎日酔っぱらって昼過ぎまで寝ている幸助にとって朝の早い芝居は厳しいので、普段、幸助は藤兵衛に、

「みつが飯を炊き過ぎたさかい来てくれ」

だの、

「みつがおかずを作りすぎたから食べにきてほしい」

だのとただ飯やただ酒でさんざん世話になっている。その礼のつもりで家主一家に譲ったのだ。芝居見物がはじめてのみつは大喜びし、前日も幸助は、明日への期待と幸助への感謝をさんざんぱら聞かされていただけに可哀そうだとは思ったが、こればかりは仕方がない。

「座本の市川黒太夫は俺の絵を気に入ってくれたようだから、また、仕事をくれるかもしれぬ。そのとき、また招待してもらうから……」

まだべそをかいているみつをなだめるように幸助が言うと、

「先生、おおきに」

みつは涙を拭き、頭を下げた。

幸助の絵を買った商人の店が急に傾いたり、医者が駕籠から投げ出されて大怪我をしたり、勝ち続けていた相撲取りが負けはじめたり……ということが重なったため、

「葛鯤堂の絵を買うと身代が沈む、運が沈む、陽が沈む」

と嫌がられ、その風貌とあいまって「貧乏神」と陰口を叩くものもいる幸助にとって、絵看板の注文など珍しいことではあったが、いつもどおり自分の思うがままの絵

を描いた。しかし、座頭の市川黒太夫は彼の絵を喜び、

「太閤さんのけったいな感じがよう出てるわ」

とほめてくれた。幸助の描く絵がほめられることはめったにない。若いころは絵の修業を嫌って剣術の稽古ばかりしており、父親も早逝したため、絵はほとんど独学なのである。そののち、次第に絵を描く楽しさ、面白さもわかってきたのだが、あまりに「思ったまま」を描くため、とくに似顔絵などは、

「わしの顔をめちゃくちゃに描きよって！」

と怒鳴りこまれることもたびたびだ。由緒ある「角の芝居」の看板におのれの絵が掲げられているのは正直うれしかったので、

（あの絵看板が壊されたのは残念だな……）

　そう思った。しかし、大坂での秀吉人気の高さについてはお上もつねづね目を光らせているのはわかっているだけに、今回の狂言の中身は、

（大丈夫か……）

とも思っていたのだ。案の定である。報告を終えた藤兵衛は、礼だと言って酒を一升置いた。

「芝居は中止になったのだから、こんな気を遣わずともよい」

「いえいえ、ご招待してもろたのやさかい……」

そう言われると、好物なだけについ受け取ってしまった。

「また、みつの料理食べにきとくなはれ。ほな、行こか」

ふたりが帰ったあと、壁に掛けてあった陰陽師の安倍晴明と六体の付喪神を描いた絵が風もないのにはたはたと揺れ、付喪神のうちのひとりがなかから飛び出した。

「酒が来たか。しめしめ……」

それは、ネズミと同じくらいの大きさの老人で、白い布を巻きつけただけのようなだらしない恰好をしている。頭のてっぺんは禿げているが、左右に髪の毛を長く垂らし、口ひげも長い。目はフクロウのように丸く、鼻はニンジンのように高く、尖っている。前歯二本が突き出し、耳も小さいので、顔もネズミに似ている。手には、ねじれた妙な杖を持っている。

「目ざといな、キチボウシ」

キチボウシと呼ばれた小さな老人はキチキチッと笑い、

「我輩は、あの父子が入ってきたときから、徳利を下げているのに気づいておったぞよ。早う帰れ、と念じていたが、ぐずぐず泣いてなかなか帰らぬゆえ、箒でも逆さまにしてやろうかと思うたが、よう考えるとこの家には箒はなかったわい」

キチボウシは「瘟鬼」すなわち厄病神のことだ。幸助が古道具屋で買った絵のなかに八百年のあいだ封じ込められていたが、幸助がたまたま酒を絵のうえにこぼしたため封印が解けたらしい。しかし、絵を破られたり焼かれたりすると帰る場所がなくなり、空気に溶け込んで消えてしまうので、幸助の言うことを聞くしかない。本当の名前は「業輪叶井下桑律斎」というらしいが、それでは呼びにくいので幸助が「キチボウシ」と名付けたのだ。

一緒に暮らしてみると、酒とスルメが大の好物といういたって穏健な「邪神」であり、いつもは絵のなかにいるか、ネズミに似た小動物の姿をしているかいずれかなので、邪魔にもならぬ。また、酒の相手や話し相手にもなる。近頃では、腐れ縁だと思うようになっていた。

「スルメはないのか?」

「あった」

「なくなったのか」

「おまえが全部食べたのだ」

「なんだ、そうか。なくなったら買うておけ」

「金がない」

「嘘をつけ。絵看板の代金が入ったはずじゃ」

「よく知っておるな。まだもらっていないのだ」

「興行が中止になったのじゃろう。早うもらわねば取りはぐれるぞよ」

それは、ありえないことではなかった。なにしろ座本が召し捕られてしまったうえに、公演自体も中止させられてしまったのだ。歌舞伎芝居の上演には大道具、小道具の製作や小屋の借り賃などたいへんな金がかかる。上方では、座本（座頭を兼ねる）が、「名代」から興行権を借り、芝居主から小屋を借りて上演する。その全責任者がいなくなってしまっては興行が成り立たない。市川黒太夫はたいへんな借銭を背負ってしまっただろうから、この先どうなるかの見通しすら立たないだろう。

「おのし、今の娘に、絵看板の依頼がまたあったら……などと申しておったが、つぎはないかもしれぬぞよ。キシシシシ……」

キチボウシは酒を飲みながら意地悪そうな笑い声をあげた。

「ありうることだが……さっきはああいうほかなかったのだ」

幸助も湯呑みをあおりながら言った。

「これも災難のひとつかもしれぬのう。おかしゅうてならぬ。キシシシ……キシシシシ」

幸助は舌打ちをした。もしそうだとしたら、みつが芝居に行けなくなったのは幸助のせい、ということになる。厄病神というのは悪事災難をもたらす妖怪と思われているが、じつはそうではない。厄病神のいるところに災難が勝手に集まってくるだけなのだ。だから、幸助は、よそへ行くな、俺のところにいろ、とキチボウシに命じている。口だけは達者だが、瘟鬼としての力もそれほどないへたれ厄病神のようだし、他人のところに行けばそのものに災難が訪れるのだから、世間に迷惑がかからぬよう自分が一手に厄介ごとを引き受けてやろう、と思ってのことだ。

キチボウシによると、災難というのは必要かつ不可欠なものだという。火事が起きて家がまる焼けになったら、それを建て直さねばならなくなる。材木や畳、襖、障子、ときには鍋や食器、へっつい、カンテキ、桶なども新たに入用となる。そうなると材木屋や大工、襖屋、へっつい屋、桶屋……などがもうかることになる。もうかった金で、彼らはなにかを買う。これが世のなかの仕組みだ、というのだ。幸助は、

（おみつを悲しませるような災難はない方がよい……）

そう思ったが、考えてみれば、上演する内容を決めたのは市川黒太夫なのだから、幸助が責任を感じることはないはずだ。しかし、なんとなく心は晴れぬ。このところものの値が軒並み上がったり、老中や側用人が多額の賄賂を取っていたことが露見し

たり、芝居や相撲、講釈、滑稽本や瓦版などの内容への介入が厳しくなったり……と、公儀に対する民の不満がじわじわと高まっている。「立身日出勢」の人気は、そういった徳川家への反感を背景にしていることは幸助も実感していた。

「ものの値上がりもおまえのしわざではないだろうな」

「キシシシ……我輩にそのような力がないことはおのしが一番わかっておろう。米や味噌の値上がりは陸奥の飢饉のせいじゃ。そこへ悪徳商人の売り惜しみが拍車をかけておる。興行ごとや本などの取り締まりはナントカの改革のせいであろう。いずれも我輩の力の及ぶところではない。我輩の力が及ぶのはせいぜい……この家ぐらいか」

「しょぼい神だな」

「やかましいわい」

キチボウシ相手にぐずぐず飲んでいると、

「先生、いてはりますか」

そう言いながら入ってきたのは三十過ぎの男である。

「なんだ、生五郎か」

男は瓦版屋の生五郎であった。キチボウシはあわててネズミに似た小動物の姿になり、壁際に退いた。

「昼酒とはええご身分だすなあ」

「家主が持ってきてくれたのだ」

「おや、どなたかいらっしゃいますのか」

生五郎が湯呑みがふたつあるのを見てそう言った。

「いや……家主に少しだけ相手をしてもらっていたのだ。なにか用か？」

「いやあ、参りましたわ。近頃、なんにもええタネがおまへんのや。町内の猫が子どもを産んだ、とか、神社の境内でハトとカラスが喧嘩した、とかしょうもないもんばっかり。暇でしゃあない」

「しかたあるまい。瓦版屋が暇なのは世間が穏やかということだ」

「そらそうだすけど、それではわてが干上がってしまいます。――先生、なんぞおもろいタネ、知りまへんか」

生五郎の本名は政五郎だが、

「瓦版は、生々しいネタが身上や」

という考えから「なまごろう」と名乗るようになった。

「俺よりおまえの方が早耳だと思うが……そう言えば、角の芝居の『立身日出勢』が中止になったぞ」

「え？　ほんまだすか？　それ知りまへんわ」

「座本の市川黒太夫をはじめ何人かが召し捕られたらしい。召し捕ったのは西町の古畑良次郎だ」

「また、あいつか」

「たとえ許されたとしても、借金を背負うことになるのが気の毒でな」

「そうだすなあ。けど、黒太夫なら才のある座本やさかいつぎの芝居でなんとか巻き返しますやろ」

「『絵本太閤記』が絶版になったゆえ、もしかしたらと案じておったのだ」

「『絵本太閤記』ねえ。——これだすか？」

そう言って生五郎はふところから五、六冊の本を取り出した。それはまさしく「絵本太閤記」であった。

「どうしたのだ、これは」

「奇遇やなあ。たった今、そこの本屋で買うてきたところや。暇やさかい、読もうと思て……全巻やおまへんけどな」

「絶版になったはずだぞ」

「大坂はいまだに太閤さんの人気が高(たこ)おますやろ。絶版にしても、また、こっそり刷ってますのや。お上と版元のいたちごっこ、というわけでおます。お奉行所もマジで取り締まる気やのうて、ご老中の手前、『やってるふり』をしてるだけだす。まあ、おおっぴらに読むのはあかんと思うけど、みんなこっそり読んでまっせ」

「そんなものか。ならば、芝居を中止させて何人も召し捕ったというのは行き過ぎではないのか……」

生五郎はしばらく考えたあと、

「やっぱりここに来てよかった。その芝居の件、もしかしたら瓦版にできるかもしれまへん。そのときはまた挿絵をお願いします。――この本、よかったら置いていきまひょか」

興味の湧いた幸助は、

「良いのか、俺が先に読んでも」

「かましまへん。わてはその芝居の件、ちょっと調べにいってきますわ」

生五郎はそう言って出ていった。幸助は「絵本太閤記」をめくってみた。なかなか面白そうである。しかし、そのときはまさか自分がまたしても「太閤秀吉」がらみの騒動に巻き込まれるとは思ってもいなかった。

◇

「これ、亀吉（かめきち）……亀吉！」

筆問屋「弘法堂」の番頭伊平（いへい）は丁稚（でっち）の亀吉を呼んだ。

「へーい……」

「お使いに行ってきましょ」

「えーっ！」

「なにをびっくりしたような声出してるんや。おまえら丁稚は使うために奉公させとるんやで。とっとと出かけなはれ」

「けど、わて、まだお昼のご膳（ぜん）いただいとりまへん」

「お使いから帰ってきてからでええやろ」

「えーっ！」

「うるさいなあ、なんやねんな」

「わて、朝からお職人廻りして、今帰ってきたところだっせ。おなかぺこぺこに減ってますのや。せめて、お昼ご飯食べてから、というわけにはまいりまへんやろか」

「旦那のご用事でな、ちょっと急ぐのや」

「どこへなにをしに行きまんねん」

「雑喉場の碁会所へ行ってな、肝煎りの鮑屋忠右衛門さんに、『本日は、うちの主が碁の相手に寄せていただくことになっとりましたけど、折悪しゅう昨夜から風邪気味でございますので、また日を改めて、ということにさせていただきとう存じます。仔細はこのお手紙にしたためてございます』ゆうて、向こうのご番頭にお渡ししてきなはれ」

「えーっ！」

「またかいな」

「たったそれだけのしょうもない用件で今から雑喉場へ行かななりまへんの？　それは無茶や」

「なにが無茶や。しょうもないことない。旦さんの大事なご用事やないか。おまえが行かなんだら、知らずに向こうがうちに来てしまう。旦さんがえらい恥をかく。それぐらいの理屈がわからんか」

「そらそうだすけど……それやったら梅吉っとんも鶴吉っとんも寅吉っとんもいてますがな」

「あのなあ、雑喉場のあたりはおまえがいつもお職人廻りしてるところやないか。せやさかい言うとるのや。ごちゃごちゃ言わんと早う行きなはれ！」

「へーい！　けど、お昼のご膳、わてが戻るまで置いといとくなはれや」

「わかってるわい、そんなこと。用事すんだら寄り道せんとすぐに帰ってくるのやで！」

「あったりまえですがな。お昼ご膳食べなあきまへんのや！」

　こうして亀吉は雑喉場に向かった。

「あー、つまらんつまらん。丁稚はつまらん。毎日毎日、こないして用事ばっかり言いつけられて歳取っていくのや。なんかパーッと面白いことないかいな」

　ぼやきながらもようやく雑喉場に到着した。朝一番の殺気立つような騒々しさはないとはいえ、なにしろ八十軒以上の生魚問屋が立ち並んでいるのだ。昼網で獲れた魚たちが瀬取船で持ち込まれたばかりで、まだまだ大勢のひとであふれている。

「そっちのアジ、なんぼじゃ」

「値ぇも知らんと商売さらしとるのか。ど素人」

「とれとれのアジと腐りかけのクソアジでは値がちがうやろがい」

「うちの魚は全部とれとれじゃ。嘘やと思たら猫みたいに頭からかじってみい」

「なんやと、このガキャ」

「やるんかい。やるんやったら表へ出え」

「おお、やったろやないか」

亀吉は雑喉場があまり好きではなかった。魚を商うには鮮度が勝負だから、そこで働くものたちの言動はどうしても荒っぽくなる。朝についていた値段が昼には半値以下になっているのだ。買い手に売り手が魚を投げつけたり、のろのろしているものは突き飛ばされたりする。喧嘩も多い。どちらかというとおっとりした船場で働く亀吉はこういった乱暴な雰囲気が苦手なのだ。

「あのー、すんまへんけど……鮑屋さんはどちらでしたかいな」

「なんやとお？　そこの丁稚、なに抜かしとるのや。声が小さいさかい聞こえんのじゃ。もっとはっきり抜かさんかい！」

「鮑屋さん……」

「粟津屋さんかいな。それやったら、あそこの赤い旗のところ右へ曲がって四軒目や」

「いや……粟津屋さんやおまへんのや。鮑屋……」

「——おい、こらあ、おのれ……その鯛の箱はうちのや。勝手に持っていきさらすな」

「アホ抜かせ。これはうちの鯛じゃ。今、手付け打ってきたとこじゃ。妙な言いがかりつけよったら承知せんぞ」

「なんやと。おのれは……」

亀吉の頭のうえで手鉤を構えての戦がはじまる。巻き込まれぬようその場をこそこそと離れ、ようよう雑喉場の肝煎りに会って、主の意向を伝えた。

「そうだっか。そら残念やなあ。森右衛門さんにお大事にと伝えとくなはれ。お風邪が全快したあかつきにはまた碁を囲みましょう、とな。ほな、丁稚さん、よろしゅうに」

それだけの「お返事」を聞いてかえるだけのためにわざわざ雑喉場まで来たのだ。亀吉はアホらしくなった。しかし、鮑屋の主は亀吉に、

「お使いのお駄賃や。内緒にしときや」

と言ってなんと、ななんと、四文もくれたのである。

（うひょーっ！）

亀吉は舞い上がってしまった。丁稚には給金はない。そのかわり三度の飯を食べさせてもらって、寝る場所と着物を与えてもらって、仕事を教えてもらうのだ。ときど

きもらう小遣いだけが「収入」なのである。安いといわれている立ち食いうどんでも十六文かかるが、四文あれば焼き芋が買える。

（四文あればなんでもできる！）

うれしくなった亀吉は踊るようにして雑喉場を出た。

（このままお店に去ぬのももったいないな。せっかくやさかいちょっと遊んで帰ろか）

四文ですっかり気持ちが大きくなった亀吉は、昼飯のことも頭から消えていた。

（そや……！　ちょうど野田の藤が見ごろなはずや。いっぺんお店の藤見物で連れていってもろたけど、めちゃくちゃきれいやった……）

雑喉場から野田は近い。亀吉は橋をいくつか渡り江戸堀、土佐堀、堂島川を越えて、うきうき気分で野田に向かった。大坂では花見と並んで藤見が盛んだが、なかでも野田藤は有名である。亀吉の予想どおり、野田に入ると、あちこちに藤棚が設けられており、垂れさがったつるに紫色の花が咲き誇り、なんとも美しい。大勢の暇人が見物に来ており、それを当て込んで、茶店が出る、うどんや寿司の屋台が出る、饅頭屋や団子屋、飴屋が出る、おもちゃ屋が出る……なかなかの繁昌ぶりである。亀吉は、いちばん大きな藤棚があるという神社の境内に入ると、四文で団子をひと串買い、床几に座ってそれを食べながら、藤の甘い香りを楽しんだ。

（あー、のんびりするなあ。ゆったりして、まるで天下取ったような気持ちやなあ。太閤さんもこんな気分やったんやろか……）

丁稚風情がなにを言う、と方々からツッコまれそうなことを思いつつ、亀吉は団子を食べた……。

「ちょっと、丁稚さん……！」

揺り起こされて亀吉はハッと目覚めた。

「もう長いことといねぶってはりまっせ。そろそろ起きんと叱られるのとちがう？」

団子屋の女子衆の顔が目のまえにあった。

「しもた……！」

亀吉は立ち上がると、

「今、何刻だすか」

「そやなあ、もう八つ（午後二時）だっせ」

「ふわあっ……！」

亀吉はさすがに真っ青になった。頭のなかに、番頭の怒りまくった顔が浮かんだ。

「さ、さいならーっ！」

亀吉は床几から跳ね起き、駆け出した。走りながらちらと空を見ると、いつのまにか雲行きが怪しくなってきている。

(どうか降りませんように……)

祈るような思いで亀吉は藤棚の合間をすり抜けた。しかし、その願いもむなしく、ぽつり、ぽつり……と首筋に雨を感じはじめた。そして……ついには車軸を流すような土砂降りになった。全身から雨が滝のように流れているが、それでも走るしかない。途中で下駄の歯が欠け、転んで、膝をすりむいてしまった。亀吉は下駄を脱いでふところに押し込み、裸足でまた走り出した。亀吉は泣きそうになった。いや、もう泣いていたかもしれないが、あまりに猛烈な雨なので涙が出ているのかどうか自分でもわからないのだ。

雷が鳴り出した。それもかなり近い。

(うわあっ……わて、雷大嫌いなんや……)

亀吉はへそを押さえた。

(どこか雨宿りするところ……)

しかし、このあたりは藤棚と広い野原があるだけで、民家は見あたらない。しかたなく亀吉は、一本の大きな杉の木の下に入った。雷はどんどん近づいてくる。稲妻が空を走り、亀吉は恐怖で足がすくんだ。

（なんぼなんでも今は出ていけんわ。もうちょっと待って、小降りになったら飛び出そう……）

　そう思いながら手ぬぐいで頭や身体を必死に拭いていると、ふたりの大人があとから駆けこんできた。ひとりがもうひとりに番傘を差しかけている。

「ふへーっ、えらい降りやなあ。番傘があって助かったわ」

　そう言ったのは大店の主らしい人物だった。着物も帯も足袋も雪駄も煙草入れも印籠も……身に着けているのはかなり高価なものばかりであることは亀吉にもわかった。

なんとなく見たことがあるような顔なので、亀吉は記憶を探った。

（そや……『三河屋』の旦さんや！）

「三河屋」は阿波座にある大きな小間物問屋であった。紅だけでなく、白粉、笄、櫛、かんざし、鏡など女性がお洒落に使う化粧道具を扱っている。「弘法堂」も化粧筆や刷毛を何種類か卸していたので、その関わりで亀吉は何度かお使いに行ったことがある。そのときに見かけたのだ。三河屋市郎は担ぎの小間物屋からはじめて、一代で店を大きくしたやり手ではあるが、そのせいか倹約が身に染みついており、奉公人や同業者からは、

「市郎やのうてケチ郎や」

と陰口を叩かれるほどだったが、当人はそういうことをまるで気にとめない。花街で派手に遊んでいても、いざ勘定となったらかなり細かいらしいが、

「一文でも安い方が得やないか」

と悪びれない。

「へっへっへっ……空が急に暗くなりましたんで、すぐに茶店のお婆から傘を借りたこのヒデ吉の先見の明はどうでおます」

頭を豆本多に結い、絹の着流しに派手な柄の羽織を着て、尻端折りをした男が傘を畳むと、手ぬぐいで旦那風の男の着物を拭こうとした。どうやら幇間、つまり、太鼓持ちのようである。上方では「芸者」ともいう。手に、重箱を包んだ風呂敷を下げ、肩に大きなひょうたんをかけて、旦那にえへらえへらと笑いかけている。ふたりとも亀吉には気づいていないようだ。

「そんなもんだれでも思いつくわ」

「けど、ええお召しものが濡れてしまいましたがな」

「こんなもんはなんぼでも替えがある。当分やみそうにないな。弁当もぐちゃぐちゃになってしもたさかい、今日はこのへんでお開きにしよか」

「そうだすなあ。残念だすけど、藤見物はまた日を改めて、ということで……」

「ヒデ吉、番傘は一本しかないさかい、わしがもろていくで。かまへんな」

「へえへえ、それはもう……わたいは濡れて帰りますわ」

「ほな、さいなら」

旦那が番傘を開いて木の下から出ていこうとしたので幇間は、

「ちょ、ちょっと待っとくなはれ。肝心のものをまだいただいとりまへんがな」

「肝心のものてなんや？」

ヒデ吉と呼ばれた幇間は手のひらをうえに向けて、右手を出した。

「なんじゃこれは」

「お忘れだすか？　今日の祝儀をちょうだいせんことにはこのヒデ吉、帰れまへん」

「なんやと？　金もらわんと帰らんというのか。面白い。ほな帰るな。いつまでもこの木の下におれ。わしは去ぬ」

「ちょっと旦さん、お怒りになりはっては困ります。帰らんと言うたのは言葉の綾で……」

「あのなあ、よう考えてみい。今日の藤見は、女子も仲居も連れんと、わしとおまえの二人きりいう趣向や。弁当もわしが仕出し屋に言うてあつらえたのや。そのひょうたんに入ってる酒もわしが金出したもんやないか。それが、野田に着くなり、この大雨と雷や。おまえは今日一日、なんにもしてないのやで。なんで祝儀やらなあかんのや」

「そ、そら、理屈ではそうかもしれまへんけどな、こっちも商売でおます。祝儀ちょうだいせんことには干上がってしまいますので、そこをなんとかご了見いただいて……」

「そうか、わかった。——ほな、ここで芸せえ」

「え？　ここでだすか」

「そや。おまえもいっぱしの芸者やろ。わしにべんちゃら言うておだてて金を取るだけでは能がない。芸者なら芸を見せて、胸張って祝儀をもらわんかい」

「そらそうだすけど……ほな、ひとつ踊りでも……」

「踊るのはええけど、木の下から出て雨のなかで裸で踊れ。嫌なら今日は手ぶらで帰れ」

ヒデ吉はしばらく考えていたが、

「さすがはケチ郎旦那。旦さんから祝儀いただこうと思たらそれなりに苦労せなあきまへんなあ。——わかりました、旦さんのお望み通り踊らせていただきます」

　ヒデ吉は着物をくるくると脱ぎ、襦袢もすべて脱ぎ捨てて、雨のなかに走り出ると、その場で逆立ちをした。そして、足の先をぴたりとそろえて、そこにひょうたんを乗せ、両腕を使って右へすばやく動く。ああ、もう倒れる、ひょうたんが落ちる、というぎりぎりのところでぴたりと止め、今度は左へよたよたと危なっかしく移動する。

「ひょうたん、ひょうたん、ひょうたんだ。つるりんとしたひょうたんだよ。右へとっとっとっ……左へとっとっとっ……右から左、左から右、なにがなんだかわからない。右へとっとっとっとっ……左へとっとっとっとっ……」

　口で囃しながら右へ左へと自在に動く。全身に滝のような雨が降り注いでいるが、ヒデ吉はけっして足のうえのひょうたんを落とさない。稲妻が、ヒデ吉の動きを追っているかのごとく左右に光り、それは物凄い光景だった。こっそり見ていた亀吉はその芸にすっかり魅せられてしまった。三河屋市郎も感心したらしく、

「おお、上手いもんやな。さすがはエテコのヒデ吉や。わかったわかった。もう、こっちに入ってこい。祝儀をやるぞ」

　亀吉は「エテコ」という言葉に耳を止めた。言われてみれば、その幇間の顔つきは猿によく似ている。

（おもろい名前やなあ……）

亀吉が見ているとも知らずにヒデ吉は逆立ちをしたまま旦那に近づいていき、左手一本で身体を支えると、右手を突き出し、

「祝儀、ちょうだいします。たっぷりはずんどくなはれや」

三河屋市郎が財布を取り出そうとしたときだ。

なにかが爆発したかのような凄まじい音響が轟き、目のまえが白く光った。落雷だ。雷はヒデ吉を直撃した。亀吉と三河屋市郎はかろうじて免れたが、その衝撃で吹き飛ばされた。

「うう……うう……」

だれかが自分を揺り動かしていることに気づき、亀吉はうっすら目を開けた。しばらく気を失っていたらしい。

「丁稚さん……丁稚さん、大丈夫か。怪我はないか」

それは三河屋市郎だった。亀吉は立ち上がったが、どこにも怪我はないようだ。

(そや……へそ……!)

亀吉は着物をたくし上げて自分のへそを見たが、それはあるべき場所にちゃんとあった。ホッとしたものの、落雷の瞬間のことを思い出した亀吉は、恐ろしさのあまり泣き出してしまった。三河屋市郎は、

「無理もないわ。わしでも怖かったさかいなあ……」

「あの……エテコのおっさんは……」

「そ、そや！　ヒデ吉や！」

ふたりはあたりを探したが、幇間の姿は見あたらなかった。

「あ……いた！」

亀吉は近くの藤棚の下にうつぶせに横たわっているヒデ吉を見つけた。木の下からこの藤棚まで五間（約九メートル）ほど飛ばされたことになる。裸でいるところに直撃を食らったので、肌があちこち黒く焼け焦げている。頭の横にひょうたんが転がっていた。三河屋は駆け寄ると、

「ヒデ……ヒデ……！　しっかりせえ！　わしが悪かった。雷が鳴ってるときに、外に出て裸で踊れ、ゆうのは悪洒落がきつすぎた。頼むさかい死なんとってくれ」

ヒデ吉はゆっくりと目を見開いた。

「よかったー。生きとるわ。おい、ヒデ吉、今、医者を呼んでくるさかいにここで待ってえよ」

「わたいは……だれや」

「だれや、て……おまえは幇間のヒデ吉やないか」

「たいこ……ヒデ吉……」

「そや、おまえはヒデ吉や。おのれの名前忘れるやつがあるか」

「あんたは……？」

「わしのことも忘れたか。わしは阿波座の三河屋市郎や」

「三河屋……市郎……」

「市郎でわからなんだらケチ郎や。どや、思い出したか！」

「わからん……わたいはいったいどこのだれや……」

ヒデ吉は両手で頭を抱(かか)えるようにしていたが、ふとかたわらのひょうたんに目を止めた。

「ひょうたんや……」

「そや、おまえが芸に使とったもんや」

「わたい、なんでここに裸で寝てたんや」

「ほんまになんにも覚えてないのやな。おまえは雷に打たれて、あそこの木の下からこの藤棚まで吹っ飛ばされたのや」

「ほう……そうか……」

ヒデ吉は裸のまま腕組みをして考え込んでいたが、

「そうか……そうやないかと思うとったけど、やっぱりそうやったか」

「なにを言うとるのや。頭のなかがぐちゃぐちゃになってるのとちがうか」

「やっと自分がどこのだれか思い出せたわ」

「そ、そうか。よかった。おまえは幇間の……」

ヒデ吉はすっくと立ち上がり、雷に負けぬ大音声で言った。

「余は、豊臣秀吉じゃ！」

三河屋と亀吉はぽかんと口を開けてヒデ吉を見つめていたが、三河屋市郎はげらげらと笑い出し、

「アホなことを言うもんやないで。なんぼおまえの顔が猿に似てるから、ゆうて太閤さんを名乗るのは図々しすぎるのやないか？　そうか……おまえ、わしをからこうとるのやな」

「からかうだと？　余は大真面目じゃ。おまえが今、そう言うたゆえに余もわが出自を思い出したのじゃ」

「わしが……なんと言うた？」

「余のことを、太閤秀吉と申したであろうが」

「太閤秀吉やない。幇間のヒデ吉と……」

「そして、この木の下から藤のケチ郎まで飛ばされたるは、木下藤吉郎、つまり、わが前名を表しておる。しかも、ここにわが旗印のひょうたんもある。余は豊臣秀吉に間違いはない！」

「いや……間違いはある、と思うけど……」

「だまれ、余は太閤秀吉じゃ。大坂城へ案内せい！」

三河屋市郎はすっかり胆をつぶしてしまい、

「どないしょ。ヒデ吉がおかしゅうなってしもた。医者に連れていきたいけど、火傷しとるさかい動かん方がよかろ。――あ、あのな、丁稚さん、わし、今からすぐにお医者を呼んでくるさかい、ここでこいつと待っててんか。頼むわ」

「いや、わてもお店が……そろそろ帰らんと……」

「それはわしがあとでなんとでも言うたる。あんた、弘法堂の丁稚さんやな」

三河屋は、亀吉の前垂れに弘法堂の定紋が染め抜いてあるのを見て、そう言った。

「へえ……そうだすけど……」

「弘法堂さんやったらうちの得意先やがな。主さんもご番頭もよう知っとる。決してあんたが叱られるようなことにはならんさかい安心してくれ。と、とにかくここにおってくれよ。な、な、な、な、な！」

「な」を何度も並べ立てて、三河屋市郎は行ってしまった。亀吉は、ふーっと身体中の息を吐き出した。今日はいろいろありすぎる日だ。早く店に帰りたかったが、この幇間を放っておくわけにはいかない。亀吉が困り果てているあいだに、ようよう雨が上がってきた。

（ああ、よかった……）

亀吉が空を見上げ、ふたたびヒデ吉に視線を戻したら……いない！

（どこ行ったんや！）

あちこちを探すと、ヒデ吉は着物を着て、ひょうたんを持ち、すたすたと歩いている。

「お、おっちゃん、勝手にうろちょろしたらあかんがな。今、三河屋の旦さんがお医者を連れてくるさかい、じっとしといて！」

「医者など不用じゃ。それに、余はおっちゃんではない。たとえかつては百姓のせがれでも、今は天下人じゃ。口の利き方に気を付けよ、このたわけが！」

「うわー、えらいひと押し付けられてしもた……。なんぎやなあ。あのー、太閤さん、どちらに行かれるおつもりだすか」

「無論、大坂城じゃ」

「大坂城なんか行っても、入れてくれまへんで」

「なぜじゃ。あの城は余のものであるぞ」

「太閤さんの大坂城は、戦でまる焼けになりました。今の大坂城は徳川さまがお建てになったもんでおます」

「なに？　徳川じゃと？」

「へえ、今は徳川さまの天下でおますさかい……」

「なにい！　今なんと申した！」

ヒデ吉はいきり立った。

「天下は徳川さまが治めてはりますのや。豊臣家はとうの昔になくなりました」

「嘘を申せ！　秀頼はいかがいたした。余は臨終の折、家康に、秀頼に余のあとを継がせ、その後見役になってやってくれ、くれぐれも秀頼を頼む、と念を押したのに、家康め、五大老にしてやった恩を忘れ、余を裏切りおったな。許せぬ！」

「あのー……太閤さん、臨終の折、とおっしゃいましたけど、自分が死んだことはわかってはりますのん？」

「そうじゃ」

「ほな、なんでここにいてはりますのや」

「む……？」

ヒデ吉は自分でもそのあたりの理屈はわかっていないようで、しばらく考え込んだが、

「わからぬ。とにかく大坂城へ参るぞ。丁稚、おまえの名はなんじゃ」

「亀吉と申します」

「ならば、今日から羽柴亀吉と名乗るがよい。――馬引け！」

「馬なんかいてまへんがな」

「ならば、供をいたせ」

ヒデ吉が歩き出そうとしたので、

「あかんあかん、行たらあかん」

亀吉はヒデ吉の袖に取りすがったが、ヒデ吉は意外と力が強く、亀吉をひきずっていこうとする。

「大坂城なんか行ったら、召し捕られてしまう。どないしょ。そ、そや、ここから福島羅漢まえまではほん近くや。かっこん先生のところへ連れていこ。――あの、太閤さん、わての親しいおひとの家がこの近所におますのや。大坂城をいきなり訪ねるより、まずはそこに落ち着いて、今後の策を練る、というのはどうだす？」

「ふむ、どこの大名家じゃ」

「丁稚が大名と知り合いのわけおまへんやろ。葛䱩堂ゆう絵描きさんでおます」

「絵描きか、それもよかろう。なるほど、亀、なかなかよき思案(しあん)ではないか。ならば案内せい」

「へへーっ」

「というわけで連れてきましたのや」

亀吉は、葛幸助(かつこうすけ)に言った。後ろにはヒデ吉が立ち、屋内を物珍しそうに見回している。

「この男が豊臣秀吉だと？　なにを言っているのか、わけがわからん」

「わてにもわけわかりまへん。雷に打たれて頭がわやになってるのは間違いおまへんけどな」

「とにかく勝手に落ち着き先にされては困る」

「そんなこと言うたかて、わてはお店に戻らなあきまへん。番頭さんがどれだけ怒ってるか、考えただけでもぞーっとするわ」

「いねむりをしたおまえが悪いのではないか」

「そらそやけど、まさかそのあと雷が落ちるとは思てまへんでしたさかい……」

「ははは……雷が落ちたあとに番頭の雷が落ちるというわけか。よくできた話ではないか」

「笑てる場合やおまへんで」

　幸助は声をひそめ、

「で、この男のことだが……おのれを豊臣秀吉だと思い込んでおるわけか」

「ほんまは幇間で、エテコのヒデ吉ゆうらしいけど、雷に打たれて、秀吉やと思うようになったみたいだすわ」

「この長屋に医者はおらぬぞ。なんの修業もしていない偽医者がおるだけだ。よそから呼んでこようにも、まともな医者はここに来るのを嫌がる」

　薬代を取りはぐれることがわかっている患者に薬を盛る医者はいない。この長屋の住人は、イカサマ賭博師、女相撲の力士、イモリの黒焼き屋（精力剤）、窩主買い（故買屋）、ボリ屋（ぼったくり）……などいかがわしい連中ばかりである。

　三河屋の旦さんがお医者を呼びにいきはったけど、どうなったやろか。ここに連れてきてしもたさかいなあ……」

「この男がいなくなったとわかったら、三河屋は弘法堂に行くはずだ。そのときにおまえが、日暮らし長屋へ行くように、と伝えてくれればよい。三河屋が金を払うなら、医者も来てくれるだろう」

「わかりました。――ほな、かっこん先生、よろしゅうお願いします」

そう言うと、亀吉はすまなそうに何度も頭を下げて帰っていった。幸助はヒデ吉に、

「まあ、しばらくいてもいいぞ。ただし、仕事の邪魔になるから、端(はし)の方にいてくれ」

ヒデ吉は、

「狭(せま)くて汚いのう。とても天下人だったものの住む場所ではないぞ」

「仕方あるまい。ここはそういう長屋なんだ」

「余が天下を取ったら、かかる貧乏長屋はなくして、皆が広くて住みやすい家に住めるようにするぞ。けしからぬ！　徳川はなにをしておるのじゃ。民の住みよい国にするのが天下人の責務であろうが」

「あんたが怒ってもしかたないだろう？　これはこれで気楽でなかなか住みやすいものだぞ」

日暮らし長屋ははっきり言ってぼろぼろである。五軒長屋が菱形状にかしいでいるので、

「倒れる！　ヤバい！」

と反対側からぐーっと押すと、今度は逆方向にかしいでいく。しかし、家のなかで仕事をしたり、飯を食ったり、酒を飲んだり、寝たりしているものは、まるで気にしていない。

「こんなことしてたら、いつかはベチャッと倒れるやろな」

「来年の夏ぐらいやろか」

「いやいや、そんなに持たへんやろ。せいぜい春までか」

などと呑気に話し合っている。ほかにも、焚き付けにしてしまったので戸がない家は暖簾を戸の代わりにぶら下げているし、屋根に穴が開いて雨漏りしている家の住人は、雨の日になるとどこかに雨宿りに出かける。へっついやカンテキを売ってしまったので家で煮炊きができず、飲み物は水だけ、食べ物は野菜を生でかじるだけ、というものもいる。根太が腐り、床が抜けて穴が開いたので、そこに棒を数本渡してそのうえで寝ているため、

「寝ると身体が痛くなる」

と毎朝ぼやいている男もいる。しかし、家主の藤兵衛は、一向に修繕しようとはしない。修繕には金がかかる。金をかけたら、かけた分を回収しなければならない。そうなるとどうしても住人から家賃を取らねばならない。家賃を払えぬものは追い出さなければならない。

こういった貧乏長屋は「日家賃」である。しかも、一日に十文程度で、たいへん安い。しかし、それすら払えぬものも多いのだ。振り売りの商人や紙くず屋、占い師、駕籠かき……といった出商売のものは雨が降ると仕事にあぶれる。また、病気になるとどうしようもない。どうしても家賃が滞ることになるが、たとえ家賃が溜まっても、藤兵衛は住人を追い立てようとはしない。なぜなら彼らにはここを追い出されたら、行く先がないからである。だから、藤兵衛はあえて修繕をしないのだ。そんなことを幸助はヒデ吉に説明した。

ヒデ吉は上がり框に腰を下ろし、

「なるほど、ここの家主は人情家らしいのう」

「住人が食いっぱぐれていると、タダで飯を食わせてくれる。俺もときどき世話になる」

「それはあっぱれじゃ。羽柴の姓を取らせてやってもよいぞ」

「いらぬと思う」

幸助は散らかっていた筆の材料などを片付けると、

「まあ、うえへ上れ。酒は飲めるか」

「飲めるどころではない。底なしじゃ」

「では、近づきの印でいっぱいいこう。太閤殿下の口には合わぬかもしれぬが……」

「余は百姓の出じゃ。ぜいたくは言わぬ。酒などというものは酔えればそれでよいのじゃ」

幸助は湯吞みをふたつ持ち出すと、一番安ものの焼酎を注いだ。ふたりはそれをひと息で干した。

「美味い」

「それはよかった。——亀吉の話では、おまえは幇間のヒデ吉というものらしいが……」

「余は豊臣秀吉じゃ。幇間などにあらず」

「くだらぬ仁輪加で俺をからかっているのか？」

「からかう？　そんなつもりはないぞ。なにゆえそのようなことを申す」

「うーむ……」

幸助にはこの男が本当に病気なのか、それとも狂言なのかわかりかねていた。芝居をしているのだとしたら馬鹿馬鹿しいが、そうとも思えない雰囲気がこの男からは感じられた。亀吉から押し付けられたとはいえ、引き受けた以上はしばらくのあいだ調子を合わせているしかないようだ。

「いつからおまえは、おのれが秀吉だと思うようになったのだ」

「生まれたときからに決まっておろう」

「おかしいではないか。豊臣秀吉は二百年以上もまえに死んだ人物だ。それがどうしてここにいる」

「そ、それはだな……」

ヒデ吉も答に窮した様子だったが、

「それは余にもわからぬ。とにかく余は秀吉である。当人が言うておるのだから間違いない。文句があるか」

「文句はないが、あまり秀吉、秀吉と声高に言わぬ方がよいぞ」

「なにゆえじゃ」

「なにゆえ、と言われると……」

幸助はちょっと考えて、

「おまえは、自分が死んだあとの豊臣家のことを知っているのか」

「さっきの丁稚から、戦があって大坂城がまる焼けになったことや、今は徳川の天下であることは聞いたが、それだけじゃ。詳しゅう教えよ」

幸助は酒を飲み干すと、

（いったい俺はなにをしているのだ……）

と思いつつ、秀吉の死後に起きた関ケ原の戦いのこと、大坂の陣のこと、淀殿と秀頼の自刃のこと、今の大坂城は徳川家によって建て直されたものであること……などを話した。ヒデ吉は猿面を真っ赤にして涙を流し、ぐじゅぐじゅと鼻水をすすりながら、

「そうかそうか……秀頼と茶々は死んだか。可哀そうなことをしたわい。家康め、小牧・長久手の戦のおりに滅ぼしておくのであった！」

「というわけで、今は徳川の天下なのだ。徳川家にとって豊臣家は憎むべき敵であり、滅ぼすべき相手だった。それゆえ先年出た『絵本太閤記』という本がたいそうな評判となり、錦絵が出たり、歌舞伎芝居になったりしたのだが、処罰されてしまった。豊臣秀吉を称揚するような内容のものは許されぬのだ。羽柴秀吉を真柴久吉、木下藤吉郎を此下東吉などと言い変えることでなんとかごまかしていたようだが、ここ大坂で

はまだまだ秀吉人気が高くてな、徳川はそれを警戒しておるのだ」

「ふーむ、余の人気が高いとはうれしいではないか。皆に、秀吉ここにあり、と触れ回ってやろうか」

「あのなあ……俺の話を聞いていたのか？　ついこのまえも、『立身日出勢』という秀吉の一代記を扱った芝居が『角の芝居』で上演されたのだが、町奉行所によって中止に追い込まれた。おまえが、自分は秀吉だ、などと言い立てたら、それこそ召し捕られて牢に入れられるぞ。下手をすると死罪になる」

「笑止千万！　余は太閤じゃ。徳川など恐れるものではないぞ。今後も堂々と秀吉を名乗り続けるゆえ、さよう心得よ！」

「俺はよいが、家主に迷惑がかかるゆえ、やめてくれと申しておるのだ」

「ぶっははは……ぶははは……ぶはははは！」

「うるさいな」

「控えい。天下の太閤が家主ごときの顔色をうかがうことやある。気にするでない。ふはは……ふははは……ふはははは……」

ヒデ吉はしばらく高笑いを続けていたが、

「よし……決めた！」

「なにをだ？」

　幸助には悪い予感しかなかった。

「余は、世直しをするぞ。徳川の治世はいろいろとおかしなところがあるようじゃ。余が目指していた天下とは異なるように思う。世直しじゃ、世直しじゃ。徳川の悪しきところを余が直していけば、おのずと人心も余に従うであろう」

「だから、そういうことを一番してほしくないのだ。病が治るまでじっとしていてくれ」

「余は病にあらず。まことの秀吉じゃ。秀吉、秀吉、秀吉、ヒ・デ・ヨ・シじゃ！」

「わかったわかった。とにかくあまり騒ぎ立てるな。ややこしいことになるゆえ、な」

　幸助がそう言ったとき、

「ごめんなはれや」

　表で声がした。

「かっこん先生のお家はこちらでよろしいか」

「葛鯤堂は俺だが、ときには『かっこん先生』とか『風邪にも効かぬ葛根湯』とか呼んでいるものもいる。あんたはだれだ」

「わしは阿波座で小間物問屋を営んでおります三河屋市郎と申します。こちらにその……太閤さんがいてはりますやろか」

ヒデ吉が身を乗り出した。

「おるぞ。余は秀吉じゃ。苦しゅうない。通るがよかろう」

入ってきたのはふたりだった。ひとりは三河屋市郎だろう。後ろに頭を剃った人物がいる。手に薬箱を持っているので、医者と察せられた。三河屋は幸助に、

「医者を連れて戻ったらだれもいてないさかい、弘法堂に行ったら、亀吉ゆう丁稚がここを教えてくれましたのや。——おお、ヒデ吉。どや？　自分がどこのだれか思い出せたか」

「はははは……余は太閤秀吉じゃ。それ以外のなにものだと申す」

三河屋は頭を抱えて、

「あかんわ……。先生、お願いいたします」

医者はヒデ吉の脈を取り、あれやこれやと診察したあげくに、

「雷で焦げたところはたいしたことはない。こっちは膏薬で、膏薬を貼っておけばそのうち治る。しかし、頭の中身の方が問題じゃな。こっちは膏薬で、というわけにはいかぬ。雷に打たれた衝撃で、これまでの自我というものが吹っ飛び、自分を秀吉やと思い込んでしも

たみたいやな」

「そんなことがおますのか」

「あひるの子は、おのれが生まれて一番はじめに目にした動くものを親やと思うらしい。この男は、雷に打たれて、一度、自分というものがなくなり、生まれたてと同じような状態になった。そこで、おまえさんが、幇間（たいこ）のヒデ吉とか木下・藤・ケチ郎などと言うたがために、それがまっさらな心に刷り込まれ、おのれを秀吉と思うようになったのじゃろう」

　ヒデ吉は、

「ここな藪（やぶ）医者め！　余はまことの秀吉じゃと申しておろうが！」

　三河屋は汗を拭きながら医者に、

「どないだっしゃろ。この病、治りますやろか」

　医者はかぶりを振り、

「わからん。薬の盛りようがない。とりあえず気付け薬を処方しておくが、それを飲んだとて治るとはかぎらん。どこか湯治（とうじ）にでも連れていって、ゆっくり養生（ようじょう）させ、もとに戻るのを気長に待つしかないが……」

　三河屋はため息をつき、

「あんなアホな冗談するんやなかった。ひとの命を軽んじたわしが悪かった。こうなったらヒデ吉が治るまで面倒みるわ。――おい、ヒデ吉」

「ヒデ吉ではない。秀吉じゃ」

「ほな、秀吉。今から有馬へ行くさかい支度せえ。わしも有馬の湯にはしょっちゅう遊びに行ってるさかい、つき合わせてもらう」

「有馬？　なにゆえそのようなところに行かねばならぬ」

「おまえは有馬には何度も行ってる、いわばおなじみさんやで。寺を寄進したり、『湯山御殿』とかいう別荘を建てたり、有馬大茶会を開いたりしとるがな」

「ふん！　そのようなことは忘れたわい。――それより、余には大坂で大事な仕事があるのじゃ」

「仕事……？」

「世直しじゃ。今の大坂は余が『浪花のことも夢のまた夢』と夢に描いていたものとは違うておる。それを正そうと思う。呑気に有馬に行っている暇はないぞ。それに、余はそちとは一緒におりとうない」

「さっきの野田でのことを怒ってるのか。無理はない。謝るから機嫌を直してくれ」

「そうではない。そちは三河屋であろう。三河殿といえば憎き家康じゃ。余は今しがた、茶々や秀頼の最期のことをこのものから聞いた。そちの顔を見るたびに余を裏切り、豊臣家を滅ぼした家康のことを思い出すゆえ、そちのもとには行かぬ」

「ほな、どうするのや」

「ここが気に入った。余はここに住むぞ。葛幸助とやら、よろしく頼む」

　幸助は唖然として、

「よろしく頼まれても困る。そもそも四畳半に大の男ふたりでは狭すぎる。俺の仕事に差し支える」

　幸助がそう言いながら壁の絵を見ると、厄病神がこちらをにらんでいるのがわかった。三人だ、と言いたいらしい。三河屋が、

「こちらさんにこれ以上厄介をかけるわけにはいかんのや。なにもかもわしが悪いのやさかい、わしに面倒みさせてくれ。なあ、わしは家康公やない。ただの三河……」

「ええい、まだ言うか！」

　ヒデ吉はそこにあった薪を手に取ると、三河屋に飛びかかった。三河屋は驚いてかわしたが、振り下ろした薪はその後ろにいた医者の頭を直撃した。

「ぎゃあっ」

　医者は頭を押さえてうずくまり、

「痛い痛い……だれか医者を呼んでくれ。あ、わしが医者か」

そして、薬箱をひっつかむと、

「こんな長屋に診療に来るのはもう二度とご免じゃ。わしは帰る」

医者は逃げるように出ていった。ヒデ吉はなおも薪ざっぽうを振りかざし、

「やあやあ、遠からんものは音にも聞け。近くばよって目にも見よ。我こそは天下の豪傑羽柴秀吉じゃ。徳川家康、見参、見参！」

そう叫ぶと三河屋に向かって突進した。

「や、やめい！　やめんか！」

震え上がった三河屋は部屋のなかを駆けまわる。

「秀頼と茶々の仇……家康、覚悟！」

ヒデ吉が突き出した薪は、三河屋の喉すれすれを通って、壁にぶち当たった。家全体がぐらぐら揺れ、壁の絵のなかの厄病神が真っ青になった。

「ちょっと、かっこん先生、なにしとるんや！」

隣に住む糊屋のとらという老婆の怒鳴り声が聞こえてきた。

「さっきから秀吉とか家康とかわけのわからん大声が聞こえてくるさかい、うるそうて昼寝でけへん！　もっと静かにでけんか！」

「あー、すまんすまん。今、ちょっと豊臣秀吉と徳川家康が来ておるのだ」

「かっこん先生、頭がおかしなったのとちがうか。年寄りからかうもんやないで！」

　幸助は三河屋に、

「これ以上この男を怒らせるとなにをしでかすかわからぬ。有馬行きはあきらめろ」

「ほな、どないしたら……」

「俺もこいつと同居は勘弁してもらいたいから、家主に相談してみる。どこか空き店があるかもしれぬ」

　ヒデ吉の猿面が急になごんだ。

「それはよい思案じゃ。この長屋の家主は人情家だそうじゃから、住みやすかろう」

　三河屋市郎はほっとした表情になった。どうしたらよいか困り果てていたのだろう。幸助に向かって小声で、

「えらい迷惑おかけしてすんまへん。わしもちょくちょく様子を見にこさせてもらいますさかい、よろしゅうお頼み申します。家賃のことはわしに任しとくなはれ。これは手付けだす」

　三河屋はそう言って小粒を幸助に手渡した。

「こんなにあったらひと月でも暮らせるぞ」

「ほんまはこの男の家は、曽根崎新地（そねざきしんち）の近くの長屋だすのやが、たぶんそこに帰れと言うたかて、自分は幇間やない、秀吉や、と言い張って帰りまへんやろ。しばらくこちらで厄介になれたら助かります」

「任せておけ……とはとても言えぬが、俺も関わり合いだ。できるかぎりのことはしよう。ただ、この男が秀吉と名乗っていることを世間に知られるのはまずい。家のなかに閉じこもって静かにしていてくれればよいのだが……」

　しかし、ヒデ吉は、

「葛幸助、家主のもとに案内（あない）せい！　さあ、参るぞ！　家主の家はどこじゃどこじゃ！」

　大声でわめくと、出ていってしまった。

「うるさいゆうのがわからんか！」

　隣家（りんか）からはまたしてもとらの声が聞こえてきた。

◇

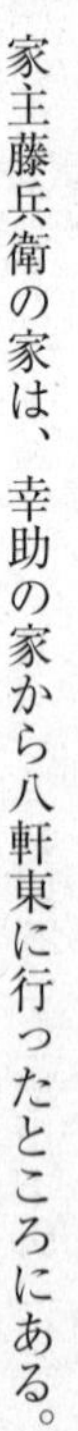

　家主藤兵衛の家は、幸助の家から八軒東に行ったところにある。

「先生、今、お呼びにうかがおうと思てたところだすのや。手間が省けましたわ」

「うむ……じつは家主殿にちょっと相談というか頼みがあるのだ。この男のことでな……」

「それやったら、とりあえず上がっとくなはれ。また、みつが飯を炊き過ぎて、おかずを作りすぎましたのや。気ぃつけえよ、ていつも言うとりますのやが……ほんまにこいつはアホで……」

「なに言うてんねん、お父ちゃん。今日はご飯もおかずもいつもの倍作っとけ、て言うたん、お父ちゃんやないの」

みつに元気が戻ったようなので、幸助も胸を撫で下ろした。

「そ、それを言うたらあかんやろ。――まあ、余ってしもても困るさかい、どうぞ食べとくなはれ。よかったらお連れさんもどうぞ。飯も菜もなんぼでもおますよって、ご遠慮なしに。ほんま、みつはちょっと目ぇ離したら炊き過ぎよるさかい困ってまんねん」

幸助は苦笑しながらヒデ吉に、

「では、せっかくゆえよばれようではないか」

ヒデ吉もうれしそうに、

「うむ、そちが申したとおり、この家主は人情家のようじゃな」

ふたりは膳のまえに座った。幸助はきちんと四角く座ったが、ヒデ吉はあぐらをかいた。幸助が藤兵衛に、

「お内儀は今日もお留守か？」

「ああ、たぶん髪結い床やと思いますわ。なんか今朝、そんなこと言うとったさかい……。なあ、みつ、そうやったな」

みつはまな板のうえでなにかを切りながら、

「お母ちゃん？　さあ……うち知らん」

藤兵衛の妻はたいてい家にいない。幸助も顔を知らなかった。

「さあ、できました」

みつは大振りの五郎八茶碗に炊き立ての熱々の飯を盛った。汁は、シジミの味噌汁。おかずにはダイコンと焼き豆腐の煮ものを張りこんで、それにカブの実と葉と茎をひと塩漬けにしたものが添えられていた。幸助が、

「美味そうだ。では、いただくとするか」

と言って横を見ると、ヒデ吉はすでに食べ始めていた。ものすごい勢いである。飯を食らい、汁を飲み、おかずを口に放り込む。

「うーむ、美味い美味い。こんな美味い飯は久しぶりじゃ！　おかわりをもろうてもよいか」

「どうぞどうぞ。うちも、気にいってもろてうれしいです」

　ヒデ吉はつぎつぎとおかわりをした。藤兵衛も喜んで、

「こちらのお方、ええ食べっぷりだすなあ。先生ももっと食べとくなはれ」

　ヒデ吉は扇を出してみつをあおぐと、

「あっぱれの腕まえじゃ。余は、割り粥（わりがゆ）のようなすぐにこなれる料理や、ごぼうや大根を塩辛く煮しめたような田舎料理が好きじゃが、おまえの料理は一見（いっけん）雑にこしらえておるようで、じつはこまやかな心遣いがその下地にある」

　幸助は、さすがは幇間だけあって、口が肥（こ）えている、とも思ったが、同時に、

（この男……まさかまことに豊臣秀吉なのではないだろうな……）

　そんなことをちらと思ったりした。

「いやー、あっぱれあっぱれ。その方を余の御膳奉行にしてやるぞ。これからは羽柴作膳守みつ吉と名乗るがよい」

　みつは幸助に小声で、

「先生、このひと、なに言うてるの？」

幸助は苦笑いして、

「まあ、ちょっとな」

やがて、ふたりは箸を置いた。結局、ヒデ吉は飯を七杯、汁を四杯おかわりをした。

食後の茶を飲みながら幸助が藤兵衛とみつに、

「この男は、豊臣秀吉なのだ」

ヒデ吉は満足そうにうなずいた。藤兵衛父子は顔を見合わせた。

「じつは野外で雷に打たれ、それ以来、豊臣秀吉になってしもうたのだ」

「なってしまったのではない。もとから秀吉なのじゃ」

ヒデ吉は突き出た腹を撫でながらそう言った。幸助は、

「こういうありさまでな、俺もなぜか関わり合いになって往生しておる」

そう言って、手短に事情を説明した。

「あまり好き勝手に出歩いて、自分は秀吉だ、秀吉だと騒ぎ立てられると、先日のごとくお上が聞きつけ、召し捕られてしまうだろう。この長屋のどこか空き店があればそこにしばらく押し込め、いや、住まわせて、おとなしくしてもらいたいと思うておる。この長屋におれば、俺が目を光らせておれる。——力を貸してはくれぬか」

藤兵衛はしばらく考えていたが、やがて、ドン！　と胸を叩き、

「よろしゅおます。この藤兵衛を男と見込んでの頼み、ないがしろにはできまへん」

「いや、そこまでは申しておらぬが……」

「蒸し返すようだすけど、こないだの芝居の一件、わしはやっぱり納得できてまへんのや。太閤さんは実際に生きてはったお方でおますし、この大坂の町に大いに貢献(こうけん)のあったお方。それを、あたかも『おらなんだひと』のように扱うお上の姿勢はおかしいと思いますのや。せやから、と言うわけやないが、このおひと、うちの長屋で預からせてもらいまっさ。ちょうど空き店もおます」

「ありがたい。身許引受人(みもとひきうけにん)は三河屋がなってくれるだろう」

　ヒデ吉はその言葉を聞き咎(とが)め、

「余はあのようなものを身許引受人にしとうない！」

　藤兵衛は、

「わかりました。かっこん先生が請け合(お)うてくれはるお方なら、身許引受人はいりまへん。ただし、人別(にんべつ)を書いて町年寄に届けななりまへんのや。なんとお書きいたしまひょ」

「羽柴筑前守豊臣秀吉じゃ」

「ははは……そんな人別、出せませんわ。——まあ、よろし。適当に書いときます」

「よきにはからえ。――ああ、こりゃこりゃ家主」

「なんでおます」

「三度の飯はここに来て食うからさよう心得よ。よいな」

「へへーっ」

　そんなこんなでヒデ吉は「日暮らし長屋」に住むことになった。引っ越しにあたって幸助は、くれぐれも勝手に出歩かぬよう、自分を秀吉であると吹聴せぬよう、騒ぎを起こさぬようきつく言い聞かせた。

「わかっておる。そちもしつこいぞ。余も分別ある人間じゃ。いたずらにいさかいを起こし、家主に迷惑をかけようなどとは思うておらぬ。安堵せよ」

「それならよいのだが……」

　幸助はそう言うしかなかった。

　家に戻ると、老人姿のキチボウシがぷりぷり怒っていた。

「なんじゃ、さっきの馬鹿者は！　危うく絵が破れるところだったではないか！」

　幸助は笑いながら、

「おまえが呼び寄せた災難だろう。怒るのは筋違いというものだ」

「くそったれ！　もう二度とあの猿面、見とうないぞよ」

「そうはいかぬだろう。今、家主と話がついて、あの男、当分この長屋に住むことになった」

「まさかこの家に住むのではなかろうな！」

「いや、家主が空き店を用意してくれた。なるべくおとなしく引きこもっていてくれ、と頼んではきたが、ときどきはここにも来るだろう」

「おのれのことを豊臣秀吉と思うておるような輩（やから）、どうせおとなしゅうしておるはずがないぞよ」

　キチボウシは憤然（ふんぜん）としてそう言った。そして、その予言は的中することになった。

◇

　それから四、五日はなにごともなかった。ヒデ吉は、自分の家にいるか、幸助のところでごろごろしているかどちらかだった。あるとき、幸助が隠してあった「絵本太閤記」を見つけ出し、幸助が取り返そうとすると、

「余のことが書かれておる書物であろう。読ませろ」

と言って持っていってしまった。

（秀吉が『太閤記』を読むというのも妙な話だな……）

そんなことを思ったりしながらできあがった筆をそろえていると、どたばたとどぶ板のうえを走ってくる足音が聞こえてきた。亀吉である。

「びんぼー神のおっさーん、いてはりまっかーっ。弘法堂の亀吉でおますーっ。びんぼ神のおっさん……びんぼ神、びんぼ神！」

「ああ、わかったわかった。聞こえておるから入ってこい」

上がり框に腰を下ろした亀吉に幸助は数十本の筆を渡した。小筆、中筆、大筆、化粧筆など種類はさまざまである。亀吉はそれを一本ずつていねいに検分したあと、

「おおきに。どれも満点の仕上がりでおます」

「それはよかった」

「これはお代でおます。お確かめください」

亀吉はふところから取り出した財布から、手間賃をかぞえて幸助に渡した。

「いつもすまぬな。主によろしく伝えてくれ」

「へえ、かしこまりました」

それで帰るのかとおもいのほか、亀吉はうえに上がり込んできた。なにか言いたくてうずうずしている顔つきだ。

「先生、こないだの秀吉、どないなりました？」

「そのことなら心配いらぬ。この長屋に住むことになった。おとなしくしておればそのうちに病も癒えるだろう」

「なーんや、そうだすか。がっかりや。大騒ぎになってるかと思て楽しみにしてたのに……」

「それより、おまえは油を売っていてよいのか。あのあと番頭にこっぴどく叱られたのではないか？」

「へへへ……それがわての頭のええところだす。番頭さんが怒鳴りつけようとするより早く、『じつは三河屋の旦さんのお知り合いが、わての目のまえで雷に打たれましたのや。そのおひとを助けてて遅うなりました。嘘やと思たら、三河屋の旦さんにきいとくなはれ』ゆうて、カーン！　とかましてやりましたんや。軍略でいうたら『機先を制する』ゆうやつだすな」

　亀吉は得意そうに鼻の下を人差し指でこすった。

「そのすぐあとに三河屋の旦さんがお医者を連れてやってきて、ああ、さっきの丁稚さん、病人はどこだすか、て言わはったんで、かっこん先生のところにいてる、と教えてあげました。番頭さんも、三河屋さんはお得意先やさかい、『ひと助けならしゃあない』言うて……それ以上はなにも言いはりまへんでした。へっへっへっ……

亀吉かしこい！」

「雑喉場に使いに行ったのに野田にいたことはどうごまかしたのだ」

「そ、それは、三河屋の旦さん、なんにも言わはりまへんでしたが、もし、言おうものならどえらいことになってましたやろな。蔵へ放り込まれたかもしれまへん。これもわての日頃の行いがええさかいだっしゃろな」

「そう思うなら、今日は道草を食わずにとっとと帰るのだな」

　幸助がそう言ったとき、

「先生、えらいこっちゃ！」

　駆け込んできたのは家主の藤兵衛だった。

「どうした、家主殿」

「ヒデ吉さんがおらん」

「なんだと！」

「飯を食いにこんさかい声かけに行ったけど留守や。厠かと思てしばらく待ってたけど戻ってこん。風呂にでも行ったのやろか」

「あれほど勝手に出歩くなと言うておいたのに……」

幸助は立ち上がり、

「捜しに行こう」

亀吉が目を輝かせて、

「おもろなってきた！　しばらくお付き合いさせていただきます」

「だめだ、おまえは帰れ」

そう言って幸助は藤兵衛とともに表に出たが、亀吉はちょこちょこついてきた。三人はしばらく長屋の周辺を捜し歩いた。そして、ヒデ吉は案外すぐに見つかった。

「なんやと、このガキ、うちの豆にケチつける気か！」

だれかの怒鳴り声が聞こえたのでそちらを見やると、一軒の乾物屋（かんぶつや）のまえで店のものらしい男とヒデ吉がにらみ合っていた。ヒデ吉は、

「豆にケチをつけておるのではない。枡（ます）がいかんと言うておる」

「うちはずっとこの枡や。どこがあかんねん」

幸助たち三人はヒデ吉のところに急いだ。幸助が、

「出歩くなと言うたはずだぞ」

「おお、家来ども、参ったか」

「だれが家来だ。――なにを揉めておる」

「これを見よ」

ヒデ吉は小豆の俵のうえに置かれた五合枡を手に取り、幸助たちに示した。

「普通の枡のようだが……？」

「いや、京枡よりもかなり小さいぞ」

店の男は腕まくりをして、

「難癖つけて金でもせびろうゆうのか。出るとこへ出てもかまへんのやで」

しかし、その口調とはうらはらに表情は怯えてるようだった。

京枡とは、京都で作られていた枡のことだ。織田信長がそれを公のものと認定し、それ
豊臣秀吉も、そして徳川家もその基準を引き継いだ。京枡は「枡座」で作られ、それ
以外の枡を勝手に作り、使用したものは獄門の刑に処せられた。

「おお、望むところじゃ。今から奉行所に参ろう」

そう言ってヒデ吉は男の腕をつかんで引っ張った。

「ちょちょちょっと待ってくれ！」

男の態度が急に変わった。

「す、すんまへん。間違うてましたわ。いつも使うとる枡やないことに今気づきまし
たんや。これは、昔使うてた古い枡でおました。いやー、お客さんにご指摘いただい

て助かりました。危うくほかのお客さんに量を少なく売ってしまうところだした」

　そう言ってヒデ吉の手から枡をひったくり、店の奥へ放り投げた。ヒデ吉は、

「正しい枡を使わねば、国の屋台骨が揺らぐぞよ。今度こんなことをしておるのを見かけたら、この秀吉が許さぬ。さよう心得い！」

「へ……？」

　きょとんとした男を尻目にヒデ吉はカラカラと笑って歩き出した。幸助は、

「それにしても表から見ただけで枡が小さいとよく見抜いたな。すごい眼力ではないか。俺には普通の枡としか思えなかったが……」

「絵師のくせにそちの目は曇っておるのう。余が天下統一をなしとげたるとき、真っ先にやったことはなにか知りおるか」

「なんだったかな」

「検地じゃ。日本中の田畑の大きさとそこから穫れる米の嵩を計らせた。租税を取るための根幹は、正しい度量衡を定めることからはじまる。はかりや分銅、物差し……もちろん枡も統一せねばならぬ。余は、右府公（信長）がお定めになられた京枡を使うことにした。米でも豆でも醤油でも酒でも京枡で計るゆえ日本中で同じ分量が計れるのじゃ。だが、悪徳商人は少しでも客に売る量を減らそうとして小さめの枡を

使い、悪代官は少しでも年貢を多く取ろうとして大き目の枡を使う。枡の統一は、天下の統一よりもむずかしいぞ」

「ふーむ……」

正論である。

「ところで、なにゆえ乾物屋にいたのだ」

「たまたま通りかかっただけじゃ。余は、町奉行所に行くつもりであった」

「なんのために……?」

「余の一代記を上演していたものが徳川の手先によって召し捕られた、と申しておったであろう。余はそのものを救い出そうと思うてな」

「だーかーらーそういうことをしてもらいたくないのだ」

「なぜじゃ。余のために罪を得たのじゃぞ。余に責任がある。これが世直しの第一歩じゃ。本や芝居など、庶民の楽しみを公儀が奪うような世の中を正すのじゃ。ゆくゆくはものの値段を下げ、給金を上げ、皆が楽しく暮らせるようにするつもりじゃ」

「おまえの一代記を上演しただけで召し捕られたのだ。秀吉当人が乗り込んだら、あの連中の罪がますます重くなるかもしれぬ。気持ちはわかるが、いきなり、というのはまずい。長屋に戻れ」

幸助はそう言ってヒデ吉の袖をつかもうとしたが、ヒデ吉はその手をぶんと振り払って駆け出した。

「あっ……待て！　おい、亀吉、追うのだ！」

「合点（がってん）承知」

ふたりは必死に追いかけたが、ヒデ吉はものすごい速さで走る。みるみるその姿は小さくなっていった。

「この馬鹿者……！」

西町奉行所定町廻り与力河骨鷹之進（こうほねたかのしん）は、与力溜りで古畑良次郎を怒鳴りつけた。河骨は、古畑の上司である。

「だれが座本を召し捕れ、と言うたのだ！　わしがおまえに伝えたお頭からのお指図（さしず）は、芝居をしばらく中止させよ、ということであったはずだ。しかも、穏便（おんびん）に、騒ぎにならぬようにせよ、と申したであろうが！」

古畑は頭を下げ、

「なれど……芝居を中止させるのはあの芝居の内容が不届きであるゆえでございましょう。その張本人を召し捕ってなにがいかんのです」

「いたずらに庶民の楽しみを奪うのが町奉行所の務めではないぞ。あまりに杓子定規(しゃくしじょうぎ)に法を押し付けると、民は息が詰まってしまう。ものの値段を吊り上げている悪徳商人を暴き、芝居や祭などの興行ごとの際に怪我人が出ぬよう警備するのが我らの仕事ではないか。——古畑、おまえはあの芝居を観たり台本を読んだりしたのか」

「いえ……それは……」

「では、なぜ不届きかどうかわかるのか」

「なれど、中止させるということは……」

「享保(きょうほう)七年の町触れでは、実在の人物の名前を出した本や芝居などは、事実と相違していたりすると、その子孫が訴える場合がありうるので、これを禁ず、となっている。それゆえ此度(こたび)の芝居では、秀吉を日枝義、家康を井出安などと名前を変えているし、家康公のことも英雄として描いておる。普通ならば許されるべきところだが……」

河骨はため息をつき、

「ある場面に瑕疵(かし)がある。お頭はしばらく芝居を中止させて、その部分を書き換えさせよ、とお命じになられたのだ。できるだけ目立たぬように、話題にならぬようにとのことであったのに、おまえというやつは……」

「そ、そのようなことは聞いておりませぬ」

「どのような瑕疵であるかは秘事に当たる。明かすわけにはいかぬゆえ、言わなかったのだ。命じられたとおりにすればよいものを……わしはお頭にさんざん叱られた」

「では、あのものたちは……」

「ただちに牢から出してこれへ連れてまいれ。よいな」

「へへーっ」

古畑が頭を下げたとき、正門の方からなにやら叫び声が聞こえてきた。

「奉行はおるか！　余じゃ！　早う取り次がぬか！」

河骨は顔をしかめ、

「どこのたわけものだ。畏れ多くも町奉行を呼び捨てにするとは、お上のご威光を軽んじるやからだな」

そのとき、どたどたという足音が部屋に近づいてきた。襖が開かれたところに座っていたのは取り次ぎの若侍だった。

「申し上げます」

「なにごとだ」

河骨が応えると、

「ただいま門前に不逞の輩一名が立ちはだかり、奉行に会わせろ、会わせぬと奉行所もろとも圧し潰してしまうぞ、と叫んでいる、と門番から報せがまいりましたが、いかにとりはからいましょうや」

河骨は、

「そのようなもの門番が追い散らせばよいではないか。いちいち我らの指図を仰ぐことでない」

「なれど……そのものは、角の芝居の座本以下数名には入牢に値するほどの咎はない、ただちに解き放つよう町奉行に伝えよ、と申しておるそうでございます」

「なにい？　そやつはなにものだ。芝居に関わりのあるものか？」

「それがその……わが名は豊臣秀吉である、と……」

河骨は血相を変えた。

「古畑、参れ！」

河骨は与力溜りを飛び出し、玄関を走り抜け、門に向かった。古畑もえっちらおっちらあとを追った。しかし、門前にはだれもいなかった。古畑が門番に、

「だれもおらぬではないか。その秀吉と名乗るものはどこにおる」

「知り合いらしきものたちがどこかへ連れていきました」

河骨と古畑は顔を見合わせた。

ヒデ吉の腕をつかみ、西町奉行所のまえからずるずると引きずって大川端まで連れ出したが、ヒデ吉は途中で幸助の手をふりほどくとまたしても駆け出した。

「追いつけるものなら追いついてみよ」

それから幸助と亀吉はヒデ吉を追いかけて大坂中を走り回った。左右から挟（はさ）み撃（う）ちにしてやっとのことで捕まえたのは坐摩（ざま）神社の近くだった。幸助は全身の汗を拭き、

「もう逃げるなよ」

亀吉も、その場にへたりこんで、

「しんどい！　もう疲れた」

ヒデ吉はからからと笑い、

「だらしのないやつらじゃ。合戦（かっせん）のさなかに『もう疲れた』などと申したらたちまち

首を取られるぞ」

　幸助は、

「おまえは今、町奉行所に召し捕られるところだったのだ。わかっているのか」

「わからぬ。太閤に比べれば、町奉行など身分の低いものではないか。恐れる必要はない」

「とにかく長屋に帰ろう。瓦版屋の生五郎が、あの芝居の件について調べてくれている。万事はその報告を聞いてからだ。おまえがひとりで勝手に動くと、うまくいくはずのものもしくじることになる」

「ははははは……わかった。帰るとするか。余も走りまくって腹が減った。家主のところでなにか食おう」

「図々しいやつだ……」

　亀吉が、

「せやけど太閤さん、めちゃめちゃ足速いなあ。とてもついていけんわ。疾きこと風の如く、や」

「カッカッカッカッ……馬鹿め！　それは武田信玄じゃ。余はもっと疾いぞ。中国大返しを知らぬのか！」

「かっこん先生、このひと、なに言うてはりますの？」

幸助は、

「織田信長が明智(あけち)光秀(みつひで)に京都の本能寺(ほんのうじ)で討(う)たれたとき、秀吉は中国で毛利(もうり)と戦っていたのだが、そこから疾風怒濤(しっぷうどとう)の疾さで京に向かい、光秀を討ったのだ。柴田勝家(しばたかついえ)も徳川家康も間に合わなかった」

「へええー、このおっさん、やっぱりほんまの太閤さんやろか……」

ヒデ吉が、

「『絵本太閤記』を読んで、余がかつてどれほどの偉業(いぎょう)をなしとげたのかがわかったのじゃ。余は天下の英雄にして古今無双(ここんむそう)の大豪傑であった。病に倒れさえしなければ、今でも豊臣家がこの国の主であったはずじゃ。家康が余の遺言にそむくことなく秀頼を後見しておれば、日本はもっと豊かで自由な国になっていたと思う。今からでも遅くはない。世直しを行うぞ。世直しじゃ、世直しじゃ」

三人が日暮らし長屋へ戻ると、幸助の家に生五郎が来ていた。

「どこに行ってましたんや。長いこと待ちましたで」

すると、幸助にかわってヒデ吉が、

「太閤秀吉の芝居に関わったものたちを救うため、西町奉行所に行っておったのだ」

生五郎は、

「あんたはどなただす？」

「余は太閤秀吉じゃ。見知りおけ」

生五郎はぷーっと吹き出し、

「あはははは……たしかに顔が猿にそっくりや」

ヒデ吉は怒りだし、

「たわけめ！　余が猿に似ておるのではない。猿が余に似ておるのじゃ」

「ものも言いようやな。——先生、これはどういうことだすねん」

幸助は生五郎に耳打ちして、幇間の「エテコのヒデ吉」が雷に打たれて、太閤秀吉だと思い込んでいるのを長屋に預かっているのだが、勝手に出歩くので困っている、今も町奉行所に押しかけたのを連れ戻してきたのだ、と教えた。生五郎は手を打って、

「これは面白いなあ。読売のタネになるわ」

「だめだだめだ。このものが秀吉と名乗っていることはできるだけ知られたくないのだ」

「えー、あきまへんか。ウケると思うけどなあ……」

「おまえの方はどうだった」

「それが……座本の市川黒太夫以下あの連中、全員お解き放ちになったらしいです」

ヒデ吉が、

「それ見たことか！　余が命じたゆえに解き放ちになったのじゃ」

生五郎はヒデ吉を無視して、

「それも、まるで召し捕ったことが嘘やったみたいに、シレッと牢から出されて、小屋に戻ってきたそうでおます。心配してたものたちが、いろいろきいても、なにも答えられん、ゆうて黙ってるらしい。芝居は明日から再開する、ゆうて道頓堀中に触れが回っとりました」

ヒデ吉は、

「それはおかしい。なにゆえ中止させたのか、そして、なにゆえ再開させるのか……おそらくは台本の一部に不備があったのであろう。そこを手直しさせるための中止であったのかもしれぬのう」

生五郎はヒデ吉をしげしげと見つめ、

「あんた、頭ええなあ。ほんまもんの秀吉みたいや」

「余はまことの秀吉じゃ！」

幸助がげんなりして、

「また、このやりとりか。いいかげんにしろ」

生五郎が幸助に、

「先生、この御仁のこと瓦版に書くのは、やっぱりあかんかなあ。芝居の中止の件とからめたらおもろなりまっせ。タネ切れの今、ちょうどええ材料やねんけど」

「余はかまわぬぞ」

「俺がかまう。——とにかくそっとしておいてくれ」

「先生がそない言わはるのやったらしゃあない。——ほな、わてはこのおひとの言うとおり、台本の手直しがあるかどうか調べてみまっさ」

そう言って生五郎は帰っていった。亀吉も、

「わても帰ります。もう、足腰がふらふらや」

幸助はヒデ吉に、

「もう二度と、勝手に長屋を出ていかぬと約束してくれ。よいな」

「そのような約束はできぬ」

「ならば、もう二度とおみつの手料理は食えぬぞ」

「ははは……それは困る。わかったわかった。おとなしくしておればよいのだろう」

ヒデ吉はからからと笑った。

「すんまへん。先生には申し訳ないと思いましたのやが、どうしても出しとうて……」

幸助は思わず大声を出した。生五郎が首をすくめて、

「なんだ、これは！」

◇

ふたりのまえには一枚の瓦版があった。見出しは、「太閤秀吉大坂に現る！」となっていて、福島羅漢前の長屋に太閤秀吉と名乗る人物が現れ、自分を題材にした芝居が中止になったことに憤慨（ふんがい）して、大坂町奉行所に押しかけた顚末（てんまつ）が面白おかしく書かれていた。しかも、その横には鎧兜を着用し、千成（せんなり）びょうたんの馬印を掲げ、槍をつかみ、馬にまたがった猿面の武者が、町奉行所の門に向かって突進する勇壮な絵が載（の）っていた。

「俺に知られぬよう、ほかの絵師に描かせたな」

「すんまへん……。けど、おもろおまっしゃろ」

幸助は文章を再読した。芝居が町奉行所によって中止になり、責任者が捕縛された

が、すぐに解き放ちになったのは、台本に不届きな箇所があったために書き直しを命じられたのではないか、などとヒデ吉の憶測までもが掲載されていた。

「たしかによく書けているが……福島羅漢前の長屋とまで出てしまっては、物見高い連中がここを探し当てるかもしれぬ」

「けど、この読売、飛ぶように売れましたのや。へへ……これはわずかですけど先生へのお礼だす。こっちはあのヒデ吉さんの分」

生五郎は律儀に、情報提供者であるふたりに多少の金を渡そうというのだ。幸助は憮然としたが、今更瓦版を回収するというわけにもいかぬ。あとで、金を届けがてら、ヒデ吉に釘を刺しておこうと思いながら、

「書いてしまったものは仕方がない。解き放ちになったものたちはもう心配いらぬと思うが、今度はヒデ吉が心配だ」

「大丈夫やと思うけどなあ……。昔ほんまにいてはった人物の名前を使った本や芝居があかん、ということだすやろ。あのお方は、自分が秀吉や、て言うてはるのやさかい……」

「よけいいかんではないか。ヒデ吉には一日も早くもとに戻ってほしいものだ」

「そのあたりはどないだす？」

「思わしくない。医者が気付け薬をどんどんきついものに変えていっておるのだが、なにも変わらぬゆえ首をかしげていた」

三河屋はあれ以来顔を見せていない。ヒデ吉が激昂するので来るのを控えているのだ。医者も、「余を秀吉と認めぬ慮外もの」と怒りだすので、びくびくしながらの診療である。

「ほな、わては去にますわ。瓦版がえらい売れたんで、続きを出したいんだす。芝居の件、もうちょっと調べてみまっさ」

「ヒデ吉のことは書いてはならぬぞ」

「へへへ……それはもう……」

出ていこうとした生五郎だったが、表から入ってきた男と鉢合わせした。

「痛っ。でぼちん打ってしもた」

「これはとんだ粗相をいたしました。お許しくださりませ」

男はていねいに頭を下げた。

「いや、わても悪いのや。――あっ、あんたは」

生五郎は声を上げた。相手は、今話題にしていた市川黒太夫そのひとだったからだ。

「私をご存じでございますかな」

「へえ、わては瓦版屋の生五郎と申します。まえからあんたの才には注目しとりましたのや」

「ほう……もしかしたら、この瓦版を出したのは……」

そう言って黒太夫がふところから出したのは、幸助のまえにあるものと同じだった。

「そうだす！　お読みいただけてたとは……。あることないこと書いてすんまへん。取るに足らん読売やさかいどうかお許しを……」

「いや……それがやな……あることないことでもおまへんのや。それに、こないして宣伝してもらうのは私どもとしてはほんにありがたいことでおますのや。休んだ分を、明日から必死になって取り戻さなあかんさかい……」

黒太夫は幸助に、

「もうお聞きやと思いますけど、えらい目に遭いましてな。五日ほど天満の牢に入っとりました。誤解が解けて、お解き放ちになりましたのやが、人形も絵看板も全部壊されてしもた。人形はもう作れんけど、絵看板はあげなあかん。先生、お手数だすけどもっぺん描いとくなはるか。それも、早幕（大急ぎ）でお願いしたいのや」

「かまわぬよ。すぐに取り掛かろう。だが、おまえが今言った『あることないこと』でもない、というのはどういう意味だ」

黒太夫は生五郎の顔を見て、

「お奉行所には、だれにも言うな、と釘を刺されましたけど、生五郎さんにはこないして喧伝してもろとるし、こちらの先生には絵看板でお世話になっとる。そのお礼として教えてあげてもええのやけど……生五郎さん、これは絶対に書いてもろたら困ることでなあ……もし、『書く』とおっしゃるなら、ようしゃべりまへん」

「わても瓦版屋だす。書くな、と言われても、これはたとえわての命と引き換えにしても世間に伝えなあかんことやと思たら、なにがあろうと書かせてもらいますけど……」

「はっはっはっ……そんなたいそうなことやおまへん。まあ、言うなれば、夢物語だすな。とてもまことのこととは思えん。お奉行所もおそらく建前で言うとるだけだすやろ」

「どういうことだす？」

「書かんと誓うてくださるならお話しいたしましょう。けど、それが守れぬなら……」

生五郎はしばらく考えていたが、好奇心が勝ったらしい。

「わかりました。書かんと誓います。お聞かせ願いましょう。もし、誓いを破ったならば、二度と瓦版稼業はいたしまへん」

それから市川黒太夫が話した内容はおよそ現実離れした物語だった。

「牢に入れられた私どもが釈放されたあと、お奉行所のお役人に命じられたのは、最後の場面を書き換えよ、ということでおました。北野天満宮の大茶会で、秀吉と淀殿の『三万貫の黄金をある場所に隠してある。欲深どもには見つからぬ場所じゃ。それを全部秀頼につかわすぞ』という秀吉と淀殿のやりとりがおますのや。なんでも秀吉が死ぬ間際に、猪名川の多田銀銅山の坑道に三万貫もの黄金を埋めたという噂がおましてな、それを信じて、何十人もの欲深い連中が一攫千金を夢見て探しにいきよったけど、見つけたものはひとりもおらんらしい。芝居のセリフはそのことを皮肉っとりまんのやが……」

「それで……？」

「台本を吟味したお役人もお奉行さまもご存じなかったそうだすけど、隠し財産はほんまにあるらしい」

「ええっ……！」

生五郎と幸助は仰天した。

「先日、東西のお奉行さまがお城入りしてご城代とお会いになられたとき、うちの芝居の話題が出たのやそうでおます」

　今の大坂城代は三年まえに赴任した松村伯耆守信頼（まつむらほうきのかみのぶより）、七万石の大名である。

「西町のお奉行さまは台本を読んではるさかい、どういう筋書きかご説明なさったら、それを聞いたご城代が顔色を変えて、その芝居の最後のセリフは手直しさせねばならぬ、と言い出したのやそうだす。お奉行さまがその理由をきくと、歴代の大坂ご城代は、引き継ぎのときに、秘事として前任者から申し送られることがあり、そのひとつが『太閤の隠し財産』なのだ、とおっしゃったそうでおます。そのことを知っているのは大坂城代経験者と、あとはご老中ぐらいのもので、公方さまもご存じないとか……」

　生五郎が、

「ほな、多田銀銅山の噂はまこと、ゆうことだすか」

　黒太夫はかぶりを振り、

「多田銀銅山やおまへん。隠し財産はここ大坂におますのや」

「ええええっ」

　幸助が、

「では、大坂城のどこかに秘匿（ひとく）されておるのか」

「いや、豊臣の大坂城は焼け落ちて、今の大坂城は徳川家が建てたもの。城内にはそんなもんはおまへん。大坂市中のどこかにあるらしいけど、場所はわからんそうだす。大坂城代の申し送りになってるぐらいやからただの噂や言い伝えやおまへんやろ」

「つまり、台本を書いた狂言作者は、知らずにまことのことを言い当ててしまったわけだな」

「そういうことだす。ご城代は、あの芝居を観たものが筋を真に受けて、大坂市中を探し回るのを恐れてはりますのや。それで、お奉行さまに、しばらく芝居を中止させて、最後の場面を書き換えさせよ、とお命じになりはったらしい。それが、どこでどう間違うたか、わしらが召し捕られることになりましたのや」

「ふーむ……」

　生五郎が、

「せやけど、中止するまえの芝居を観た客がもっぺん観にきたら、隠し財産のセリフがなくなってる、と気づきますわなあ」

　黒太夫は、

「まあ、そこまで気ぃつけてる客は少ないと思います。――明日芝居を再開せなあかんさかい小屋に戻りまっさ。ああ忙しい。とにかく絵看板の方はなるべく早くお願いいたします」

そう言うとあたふたと帰っていった。それから幸助は生五郎と、秀吉の隠し財産のありかについてあれこれ意見を言い合ったが、もちろんなんの手がかりもないのだから野放図な空想を並べるだけで終わった。

「あのヒデ吉ゆうひとにきいたら答えよるのとちがいますか」

「はっはっはっ……だとしたらあいつはまことの秀吉ということになるな」

幸助は笑った。

◇

「鶴丸の兄貴、これ見とくなはれ！」

頭頂が平べったく、目がやたら大きい、ガマガエルのような顔の小男が、一枚の紙を突き出した。寝そべったまま受け取ったのは、背が高く、鶴のように首が長い男だった。ここは雑喉場にほど近い長屋の一軒である。ふたりの男は雑喉場のなかにある魚問屋鮑屋で働いている沖仲仕だった。早朝からの荷下ろしを終え、家で一杯飲んで、昼の船に備えていたところだ。

「なんじゃい、ダラ助、瓦版やないか」

「へえ、さっき表で配ってたさかい買うてきました。なかなか面白そうなことを書いとりまっせ」

「どうせ猫が子どもを産んだとかしょうもないネタやろ。無駄遣いしくさりよってからに……」

「そんなんとちゃいます。鶴丸の兄貴、いつも太閤さんのことばっかり言うてはりまっしゃろ。もしかしたら関心あるのやないか、と思て……」

「なにい……？」

鶴丸と呼ばれた男はその瓦版を読んだ。

「福島羅漢前に秀吉現る、やと？　なるほど、ちょっとおもろいやないかい」

「そうだっしゃろ。この秀吉男、町奉行所に、兄貴が観にいった例の芝居の座本を牢から解き放て、いうて押しかけた、とも書いとりますがな」

「あの芝居にはわしも驚いた。秀吉がらみの芝居や、て聞いたさかい平土間をおごって見物してみたら、最後に太閤の隠し金のことが出てきたさかいな。たぶん、あの箇所を変えるために城代が町奉行に命じて一旦中止させたのやろう。今度再開したときは、隠し財産のセリフはなくなってるはずや」

「なんでだす？」

「間違いない。けど、そのことに気づくのは大坂広しといえどたぶんわしぐらいのもんやろ。ほとんどの客にはどこがどう変わったかわからんやろな」

「その隠し財産のセリフがどないぞしましたんか？」

「教えたろか」

「へえ……」

「だれにも言うなよ」

「へ……」

「太閤の隠し財産は、ほんまにあるのや。しかも、この大坂にな」

「えーっ！」

「そのことを知ってるのは大坂城代以外ではわしだけやからな」

「ど、どういうことだんねん」

「わしは尼崎（あまがさき）の出でな、城代屋敷で武家奉公しとったのや」

大坂城代に任命されると、役知領（やくちりょう）という特別手当が土地の形で与えられる。そこからの年貢が城代をしている期間の役得になるのだ。役知領はおもに大坂周辺地域にあり、そこの住民が、城代屋敷で働くことも多かった。

「えっ？　兄貴てお侍さんやったんか？」

「侍ゆうたかていちばん下の足軽や。けど、いつかは徒士になりたいという気持ちは持ってた」

「それがなんで雑喉場で仲士してまんのや」

「城代の居間を掃除しとるときに、うっかり簞笥のうえにあった漆塗りの文箱を落としてしもた。なかから出てきたのが『秘』と書いてある書状や。見たらあかん、と思たけどどうしても好奇心が抑えられず、つい中身を読んでみたら、太閤秀吉の隠し財産のことが書いてあったのや」

　そこには、太閤秀吉が秀頼のために残した黄金が大坂のどこかに埋められている可能性について記されていた。秀吉は、幡野三郎光照という家来に命じて、三万貫（約四億五千万両）という財宝を隠しさせたという。多田銀銅山の坑道こそがその場所だ、という説が世間に流布したが、それは秀吉がわざと言い触らさせたでたらめであって、まことは大坂のさる場所に埋められたのだ。その場所の手がかりとなるのは幡野三郎光照が残した文書だが、そこには「寺七」とのみ書かれている、という。文書は途中で破れており、「寺七」の前後にも文章が続いていたものと思われる……とあった。

「その書状を見てるところを城代の家来に見つかって、さんざんどつかれたあげく、クビになってしもた。あれが落ちぶれる第一歩やったな。――『寺七』ゆうのがなんのことか、おまえにわかるか？」

「さあ……そういう名前の男がいて、そいつが財宝のありかを知ってるのとちがいますか」

「わしもそう思た。けど、もしかしたら下寺町かどこかの七つの寺にばらばらに埋めてある、ゆうことかもしれん」

「そらそうだすな」

「わしが思うに、この秀吉男、たぶんほんまもんや。もしかしたらうまいこと使えるかもしれんな」

「はっはあー！　なるほど！」

「なにがなるほどや」

「わて、ええこと思いつきました。わてが思うに、この秀吉男がほんまもんやとしたら……」

「ふむふむ」

「こいつにきいたらわかるのとちがいまっか」

「ドアホ！　ほんまもんの太閤はとうの昔に死んどる！」

鶴丸はダラ助を殴った。

「痛ぁ……兄貴、秀吉男はほんまもんや、て言いましたがな」

「自分が秀吉や、なんて抜かしとるやつはほんまもんのアホや、て言うたんじゃ。それがわからんおまえも大アホや」

「そうだっか……？　けど、もしかしたら太閤の生まれ変わりかもしれまへんで」

「どついたろか、このガキ。わしが『うまいこと使える』と言うたのはそんなことやない。この太閤男を利用でけへんか、と思てな」

「どういうことだす」

「こいつをおだてて、あんたの隠した財産を徳川家が横取りしようとしてる、取り戻しなはれ、とけしかけるのや。こいつはアホやさかい、なんやかんやと派手に動くやろ。そしたらお上の目に留まる。そのときのお上の動きを見てたら、財宝の隠し場所がわかるのとちがうか」

「うわっ……これまで兄貴のこと、ただのがさつで乱暴で口の悪いおっさんやと思てたけど、たいした策略家やないかいな」

「わしは、わしをクビにした大坂城代松村伯耆守に恨みがあるのや。いつか仕返ししたろうと思とった。ええ機会や。たとえ一瞬でも太閤の財産をわしが手にすることができたら、三尺高い木の上にさらされても本望や。芝居のセリフやないが、太く短く生きてみせる。——どや、おまえも手伝うか」

「手伝う手伝う。わても、長く短く生きてみたい」

「太く短くや」

「それや。せやけど、太閤の隠し財産、ほんまにあるのやろか」

「ある、とわしは信じとる。芝居を中止させたのがその証拠やないか」

「なるほど……」

鶴丸の言葉にダラ助はうなずいた。

◇

「面白かったー！」

みつは大声を上げた。たった今、「立身日出勢」の最後の幕が下りたところだ。みつと藤兵衛、それに幸助、生五郎、ヒデ吉の五人は、市川黒太夫の招きで、観劇に来たのだ。はじめての芝居見物が桟敷席だったので、芝居茶屋からの弁当や酒、菓子などの差し入れもあり、みつは興奮しまくっていた。

「そんなに面白かったか」

幸助がきくと、

「めちゃくちゃ面白かったです。もう、友達みんなに自慢します。きっとうらやましがられるやろなあ。これもかっこん先生のおかげです。おおきにありがとうございました」

「礼なら座本に言うてくれ。俺は絵看板を描いただけだ」

あれから数日間、幸助は徹夜して絵看板を仕上げた。やっと納品が終わったので、こうして芝居を観るゆとりができた。最後の場面の台本は書き換えられていたが、筋書にはまるで影響していないので、観客はだれも気付かなかったようだ。ヒデ吉も自分の一代記が芝居になっているのを観るのは楽しかったらしく、

「うーむ、余の役をした役者は余よりも男前じゃな」

などとご満悦(まんえつ)の様子である。

そこに、座本の市川黒太夫が挨拶(あいさつ)にやってきた。

「これはこれはご一同にはようこそのお運びでありがたく存じ上げたてまつります。絵看板を急(せ)かしてしもて申し訳ござりまへんでした。おかげで立派な看板を早く取りつけることができて、芝居の評判も上々でおます」

黒太夫は深々と頭を下げた。

「絵看板はなんとかなったが、大人形がないのは残念だな」

「へえ……それはもうあきらめました。まえのやつをこしらえたときには三月(みつき)かかりましたさかいな」

するとヒデ吉が、

「余の似姿の大人形ならすぐにできるぞよ」

「えっ？　そんなアホな……」

「ちゃんとしたものは無理だが、とりあえず猿面の大きな人形を作ればよいのじゃろう。まず、丈夫な絹か紙を人型に切って、それをふたつ、糊で張り合わせ、なかは空洞にしておく。片方の足の先だけ開けておき、そこから息を吹き込んで膨(ふく)らませるのじゃ。最後に足をくくって止める」

要は、巨大な紙風船を作れ、というのだ。

「顔のところに猿の面をつけ、頭には兜をかぶせ、身体には鎧の絵を描く。二階の屋根から吊るせば、大人形に見えるであろう。息はどうしても漏れるだろうから、毎日、膨らませねばならぬぞ」

黒太夫が、

「うへえ、恐れ入った。それはええ思案や。あんた、知恵あるなあ。猿知恵ゆうやつや」

「余が墨俣（すのまた）に一夜で城を作ったことを知らんのか。人形を一夜で作るなどなんでもないことじゃ」

「さっそく手配させますわ。おおきにおおきに。――すんまへんけど、これで失礼させてもらいまっさ」

　幸助が、

「いやいや、再開したばかりでなにかと忙しいだろうに、わざわざ挨拶に来てくれてすまなかった」

「そやおまへんのや。あそこに……」

　黒太夫は二階席の端をこっそり指差した。そこには、覆面で顔を包んだ、立派な身なりの武士とその家来とおぼしき三人の侍が座っていた。黒太夫は声をひそめて、

「ご城代の松村伯耆守さまがお忍びで観にきてはりますのや。たぶんちゃんと書き換えてあるかどうか検分に来たのやと思います。なんぼお忍びやゆうたかて、座本として、一応、お相手せなあかんさかい失礼します」

　そう言うと市川黒太夫は去っていった。

「では、俺たちもそろそろ行くか」

　幸助が皆を見回すと、

「ヒデ吉はどこだ？」

　藤兵衛が首をかしげ、

「あれ？　今の今までいてたのに……」

　そのとき、二階席の方で叫び声が聞こえた。

「なにをする、無礼者！　このお方が大坂ご城代松村伯耆守さまと知っての狼藉か！」

「知っての狼藉じゃ！　余は太閤秀吉である。大坂城はもともと余の持ちもの、それを掠め取った徳川家康とその手先である貴様は許せぬ。盗人め、大坂城を返せ！」

　見ると、ヒデ吉が城代につかみかかっており、それを警固の侍たちが必死で防ごうとしている。

「あの馬鹿め……」

　幸助はあわてて二階席へ向かった。城代の家来たちは刀を抜き、ヒデ吉に斬りかかったが、ヒデ吉は身が軽く、ひょいひょいと左右にかわすと、正面にいた侍の額を拳固でカーン！　と殴りつけた。侍は目を回して昏倒した。続いてヒデ吉はその隣の侍の脇腹に頭突きをかますと、侍がひるんだところを思い切り蹴飛ばした。

「ぎゃあっ」

侍は仰向(あおむ)けに倒れた。ヒデ吉はその侍の頭をぼかぽかと殴りつけた。

「やめなはれ！」

市川黒太夫が割って入ったが、ほかの侍に突き飛ばされた。幸助はヒデ吉と城代のあいだに飛び込み、

「狼藉はやめろ！　やめぬなら俺が相手だ」

ヒデ吉にそう言った。

「こやつが大坂城代だと申すゆえ、城を返せ、と言うておるのじゃ。なにが悪い？」

なにが悪い……と言われても答えようがない。

「とにかく乱暴はいかん」

幸助は城代に向き直り、

「この男は俺の連れだが、おのれを秀吉だと思い込んでいるのだ。堪忍(かんにん)してもらいたい。だが、刀を引かぬというのであれば俺が相手になるぞ」

家来のひとりが、

「なにを勝手な……！」

城代はその侍を制して、

「待て。ここは民の娯楽の場だ。侍が白刃を抜き放つのは許されぬ。皆のもの、刀を納めよ」

　幸助は、

「おお、さすがはご城代。話がわかる。礼を言うぞ」

　侍は、

「なにをえらそうに……。ご城代、こやつ、町奉行所に召し捕らせましょう」

　城代はかぶりを振り、

「わしは、芝居の結末の検分のため、忍びで参っておる身だ。此度のことはすべて穏便に運べ、と申しつけたのを忘れたか。この御仁はわしを救うてくれた。礼を申さねばならぬのはわしらの方だ」

　侍は不服そうに引き下がった。城代は幸助に一礼すると、供侍たちとともに帰っていった。生五郎が、

「うわあ……大坂城代なんてめったに会えまへんで。このことも瓦版に……」

　幸助が、

「忍びで来ているのを書き立てるのは感心せんな」

「そうだすな。武士の情けや。見逃したろ」

藤兵衛が、

「あんた、いつから武士になったんや。——あれ？　ヒデ吉さんは？」

　幸助はあたりを見回し、

「しまった。ちょっと目を離すとこれだ」

「みんなで手分けして探しまひょか」

　生五郎が言った。しかし、四人があちこちを探してもヒデ吉の姿は見あたらなかった。長屋にも帰ってこなかった。ヒデ吉はそれきりどこかに消えてしまったのだ。

「おまえたち、余をどこに連れていこうというのじゃ。余は日暮らし長屋に戻らねばならんのだ」
ヒデ吉はそう言った。彼を左右から挟むようにして歩いているのは、鶴丸とダラ助である。鶴丸が、
「そこの堀に船を支度させとりますのや。そこでお近づきの印に一献差し上げたい、とこう思いましてな」

「なに？　なんのためにそのようなことをいたす」

「じつは、太閤殿下に申し上げたいことがおますのや」

「どういうことじゃ」

「それは、一杯飲りながらゆるゆるとお話し申しあげます」

三人はもやってあった小さな屋形船に乗り込んだ。すぐに酒が運ばれ、造りや焼きものなど豪華な料理も出た。

「うひょー、これは美味そうじゃ！」

ヒデ吉はいきなり料理に箸をつけ、酒をがぶがぶ飲んだ。ダラ助が小声で、

「兄貴……こんなことして、金払えまんのか」

「隠し財産が見つかったら余裕で払えるやろ。――あのー、太閤殿下」

「なんじゃ」

「じつは、この大坂のどこかに、太閤殿下が埋めた隠し財産がおますのや」

「なんだと！」

それがあまりに大きい声なので、鶴丸とダラ助は耳がキーンとした。

「はっはっはっ、余は天下三大音声のひとりゆえ悪う思うな。――そりゃ、まことか」

「へえ、間違いおまへん。幡野三郎というご家来に命じて埋めさせたと……」

「おまえはなぜそのことを知っておる」

「わしはかつて大坂城代松村伯耆守に仕える足軽でおました。そのときに歴代の城代の申し送りを書いた文書を見てしもたんだす」

「ほほう……耳よりな話じゃな。詳しゅう教えてくれ」

「今、大坂は徳川家の御領（天領）だすさかい、埋まっているものも徳川家のもの、ということになりますが、財宝はもともとあなたさまが埋めたもの。掘り出してわがものとすべきではおまへんか」

「なるほど。そのようなものを埋めたことなどすっかり忘れてしもうておる」

「できれば、我々ふたりにもほんの少し分け前をいただければありがたいのでございますが……」

「はっはっはっはっ、心配いたすな。余の家来になるならば、いくらでもくれてやる。――だが、大坂も広い。闇雲に掘り返していても見つかる道理はない。なにか手がかりはないのか」

「それでしたら、幡野三郎の書き残したものがおますのやが、これがちぎれてて、『寺七』とあるだけだすねん。そういう名前の男がおるのか、七つの寺のことか……」

「そうではあるまい」

「——え？」

「余の考えでは、寺七というのは『天王寺七坂』のことであろう。なかの二文字だけがちぎれて残ったのじゃ」

天王寺七坂とは、四天王寺の北側、上町台地にある七つの坂のことである。四天王寺に近いものから順番に言うと、逢坂、天神坂、清水坂、愛染坂、口縄坂、源聖寺坂、真言坂で、いずれも裏通りにあり、細く、かなりの急坂である。

鶴丸とダラ助は顔を見合わせた。

「兄貴、こいつ、『当たり』かもしれまへんな」

「うむ、知恵はほんまの太閤なみや。——太閤殿下、七つのうち、どの坂におまんのや」

「そこまではわからん。人足を大勢雇うて、突貫工事で片っ端から掘ってみればよい。そのうちに見つかるじゃろう」

鶴丸とダラ助はふたたび顔を見合わせ、

「それしかなさそうやな。やってみるか」

「勝手なことしたらたちまち御用になってしまう。わしらが捕まったらなんにもならん。なにもかもこいつがひとりでやったことにせなあかん」

「けど……金は三等分しまんのやろ」

「アホ。なんでこいつにやらなあかん。わしとおまえとで山分けや」

「ほな、この男には……」

「お宝が見つかったら、こうや……」

鶴丸は、ヒデ吉に見えないように刃物を突き出す真似をした。そんな会話が行われているとは知らず、ヒデ吉は機嫌よく飲み食いを重ねていた。

「お福の旦さん、またのお越しをお待ちしとります！」

「お福旦那、子ども（奉公人）にまでぎょうさんちょぼ（祝儀）いただきまして、いつもいつもありがとさんでおます」

「福の神の旦さん、おおけに」

「おおけに」

天王寺にある料亭「浮瀬（うかむせ）」は大坂一の料理屋と評判の店である。松尾芭蕉（まつおばしょう）、与謝蕪（よさぶ）

村、大田蜀山人、滝沢馬琴……といった文人墨客や口の肥えた通人が多く訪れ、二階から見える夕陽を楽しんだという。月が照らすその門前に主、女将、板前らがずらりと勢ぞろいしてひとりの小太りの若者に頭を下げている。よほど祝儀をたっぷりもらったのだろう。

「今日は急にここの鯉こくと鯉の洗いを食べとうなってな、堪能させていただきました。満腹満腹」

突き出た腹をぽんぽんと叩いた若者は、まるで役者のように顔を白塗りにしており、面をかぶっているように見える。衣服は上から下まで金のかかったものばかりである。雪駄の鼻緒ひとつ取っても、相当高価だろうと思われた。しもぶくれの顔つきで、目は細く、耳は福耳、鼻の下にちょびひげを生やし、「福の神」と呼ばれるにふさわしい福々しさである。

毎晩のように曽根崎新地や難波新地で派手な遊びをし、芸子や舞妓、幇間に小判を撒いたりするため、この人物が登楼すると「福の神が舞い込んだ」と言われるようになり、いつのまにか仇名が「お福旦那」になったのだが、じつはこの御仁がどこのだれであるかは誰も知らない。いわゆる「隠れ遊び」の達人なのである。おそらくは船場かどこかのよほど大きな店の主かぼんち（若旦那）だろうと推察されるのだが、白塗りのせいで本当の顔がよくわからないので、色里などでも「顔が指さない」のである。駕籠に乗っても、店より離れた場所で降りてしまう。それほど自分の正体がばれぬよう気を使っているわりには、遊び方はとにかく派手だ。しかし、いくら金を使ってもその使い方がきれいなので、嫌味がない。

この大金持ちのお福旦那が、なぜか貧乏神の幸助と親友なのだから、世のなかはわからない。

「かなり酔うてはりますけど、お駕籠はほんまによろしいので？」

主がそう言ったが、

「ああ、腹ごなしにしばらく歩くわ」

「このあたりは横道やら裏通りが多いさかい、道に迷わんようにお気をつけなさいませ」

「うん、わかった」

お福は提灯を持つと、ふらり、ふらりと歩き出した。しばらく行ったところで角を曲がり、なおも進むと、道が上り坂になった。しかも、かなりの急坂である。

「おかしいな……。早速、道間違うたかいな……」

酔った勢いで坂を上っていくと、かたわらに道しるべが立っていて、「愛染坂」と書かれていた。

「ありゃ、こらあかん。北へ行くべきところを東に来てしもた」

引き返そうとしたとき、妙な連中が目に入った。十五人ほどの男たちが鍬をふるい、坂を掘り返しているのだ。皆、頰かむりをしているが、ひとりだけ顔をさらしているものがいる。ひしゃくを突っ込んだこもかぶりをまえに据え、床几に座り、軍配を手にして、掘っている男たちをあおっている。

「さあ、どんどん掘れ！　掘れば黄金がざくざく出るぞ。そうなったらおまえらにも分け前をくれてやるゆえ、性根入れて掘ってくれい！　酒はいくらでもある。景気づけに飲んでくれ！　肴もあるぞ！」

鍬をふるっていた男たちは、

「おおきに！　酒飲み放題ゆうのは張り合いがあるわ」

「黄金を分けてもらえるゆうのもな」

「仕事がないときにほんまにありがたい」

「わっはっはっはっ……朝までにこの坂全部を掘り上げてしまうのじゃ。頼むぞ」

「へえ、任しといとくなはれ」

お福は、

（こんなことしたら明日からここ、通れんようになるがな。お上の仕事でもなさそうやし……なにを考えとるのや。けど、この男……えらいひとたらしやな）

ひとたらしというのは、他人の心をつかむのに巧み、ということだ。興味を持ったお福はしばらく立ったまま男たちの作業を見守っていたが、

（あれ……？　こいつ、えらい猿面やけど……どこかで見たことあるで。――そや！）

お福旦那はつかつかと男に歩み寄ると、

「おい、あんさん、エテコのヒデ吉やないか。こんなとこでなにしとるんや」

男は顔を上げ、

「余はヒデ吉にあらず」

「ほな、だれや」

「豊臣秀吉じゃ」

「あははは……なんかの趣向か？　おもろいけど、勝手に坂掘り返したりしたら、お上に叱られるで」

「たわけめ。徳川家などどうでもよい。余が余のものを取り戻そうとしておるだけじゃ」

「余のもの……？」

「ふふふ……余はかつて、秀頼のために大坂のどこかに黄金を埋めたことがあった……らしい」

「らしい、とはどういうことや」

「あまりに昔のことなので覚えておらぬのじゃ。しかたなくあちこち掘り返しておるところじゃ」

「さよか。——太閤さん、わたいのこと覚えてないかいな」

「さてなあ、余は家来も多く、一度や二度会うただけのものは忘れてしもうておるかもしれぬが……」

「新地でちょいちょい贔屓にさせてもろうてたお福や。覚えてないか？」

「新地……などというところは知らぬ。聚楽第か大坂城ならばよう存じておるがの」

　お福は、

（ははあん……こいつはどうやら頭がわやになっとるようやな。適当に話合わしとこ）

　そう思って、

「はあ……さよか。けど、だれがあんさんに『大坂に隠し財産がある』て言うたんや」

「余が芝居小屋でわが一代記を見物し終わったときに近づいてきた下郎がそう教えてくれたのじゃ」

「秀吉の一代記ゆうたら、近頃、角の芝居で評判になってる『立身日出勢』のことやな。わたいも観にいこうと思とったところや」

「その下郎の申すには、今、この大坂は徳川家の御領（天領）ゆえ、埋まっているものも徳川家のもの、ということになるが、財宝はもともと余が埋めたものなのだから、掘り出してわがものとすべきだ、とな。まったくもってそのとおりじゃ。それだけの財宝が手に入れば、豊臣家を再興し、徳川家を討ち滅ぼす軍資金にもなるではないか」

「それ、あんまり大声で言わん方がええで」

「なにゆえじゃ。余は太閤じゃぞ。怖いものはこの世にはない」

「そらそうかもしらんけど……人足たちに払う手当てはだれが出すのや」

「今はわが家来となったその下郎どもが払う。黄金が見つかれば人足どもの手当てなど屁のようなものじゃ。この酒もそのものたちがツケで買うた」

「もし、見つからなかったら……？」

「はっはっはっ……そういうことを心配しだすとなにもできぬ。戦は、勝つものと思うてやらねば勝てぬ。財宝も、見つかると思うて探さねば見つからぬ。そうではないか？」

めちゃくちゃのようで、どことなく筋が通っている。

「どうじゃ、おまえも坂を掘る手伝いをせぬか。手当てははずむぞ」

ヒデ吉がそう言ったとき、

「なんだ、おまえたちは！　ここでなにをしておる！」

提灯の明かりが人足たちを照らした。定町廻りの同心と手下たちであろう。ヒデ吉は床几から跳び上がると、

「ものども、退却じゃ！　退け、退け！」

そう叫ぶと、人足たちとともに逃げ出した。その逃げ足の速さたるや、同心たちが追おうとしたがまるで追いつけない。もちろん酒肴などは放置したままだ。

（こらあかん……！）

お福旦那も必死に逃げた。同心たちは掘り返されて開いた穴に足を取られて転び、さんざんな目に遭った。坂のうえまで逃げきったヒデ吉は、同心たちに向かって尻を突き出し、ぺんぺんと叩いた。息の切れたお福は、勝曼院愛染堂の柱の陰にへたりこんでしまった。

◇

「おーい、貧乏神、起きとるか？」

お福旦那は翌日の昼過ぎ、幸助の長屋を訪ねた。幸助はもう起きて、昼酒を飲んでいた。生五郎も一緒である。

「昼酒とは豪儀やないか」

「あぶく銭が入ったのだ。秀吉の芝居の絵看板を描いたのでな」

「おお、あれはあんさんやったか。わたいも観にいくつもりしとる。――これは妙な縁やな。わたいが来たのも、秀吉に関わりがあるのや」

「ほう……俺の方は逆に、秀吉にはこりごりしておってな、できれば光秀か信長にしてもらいたいところなのだ」

そう言って幸助は、お福のまえに湯呑みをひとつ置いた。

「きのうの晩、えらい目に遭うてな。わたいが愛染坂を上ってたら、大勢の人足を使こうて坂を上から下まで掘り返してるやつがおる。顔を見たら、エテコのヒデ吉ゆう幇間や」

「なに……！」

　幸助と生五郎が大声を出したので、

「ヒデ吉がどないぞしたんか？」

「俺が今頭を抱えているのは、そのヒデ吉のことなのだ。自分は太閤秀吉だと言うておらなんだか」

「言うとった、言うとった。ちょっと頭がわやになりかけとるみたいやな」

「そうなのだ。雷に打たれて、自分が秀吉だと思い込むようになったらしい。ひょんなことから俺が世話をして、この長屋に引き取ったのだが、このまえ芝居を観にいったあとどこかに行ってしまった。あちこちで騒動を引き起こすゆえ、あまり出歩いてほしくないのだが、とにかくちょかでじっとしていない。町奉行所に召し捕られなければよいが、と皆で探していたところだ」

「夜回りの同心が追いかけたけど、逃げ足が速うてあっという間におらんようになってしもた。おかげでわたいはへろへろや。けど、あれは召し捕られてもしゃあないで。なにしろ坂をめちゃくちゃにしてしもてたさかいな」

「なぜそんなことを……」

「自分が昔財宝を埋めた、それを掘り出すのや、て言うとったで」

「ええっ……！」

生五郎が、

「先生、えらいことやがな。天王寺界隈に太閤秀吉の財宝あり……これはいただきや！　瓦版に書いたら売れるでえ」

「だめだだめだ。今度こそおまえもお咎めを受けるぞ」

お福が、

「どっちゃにしても、見つけるのやったら早うせんとあの男の首が飛ぶで。徳川を滅ぼす軍資金にする、とか言うとったさかい……」

「しかし、ここには帰ってこぬのだ。今どこに住んでいるかわからぬか？」

「さあ……そこまでは……」

「だいたい天王寺界隈に財宝が埋まっているなどなんの根拠もないはずだ。あの男が勝手にそう思い込んでいるだけだろう」

「いや、芝居小屋で下郎に教えてもろた、とか言うとったで」

そのとき、表から、

「根拠がないこともないのだ」

という声がした。三人がそちらに目を向けると、ひとりの侍が入ってきた。この貧乏長屋にはおよそふさわしくない立派な身なりの人物である。供侍をひとり従え、蜘蛛の巣の垂れ下がった天井やネズミの糞のちらばる土間を気味悪そうに見やりながら、

「許せよ。先日は失礼した」

幸助は驚いた。

「あんたは……大坂城代！」

大坂城代といえば大名である。それが、こんな長屋に足を踏み入れるなどということは本来はありえない話だ。だが、幸助は動ずることなくあぐらをかいたまま、

「なにか用か。こないだのことで俺を召し捕りにきたのか」

「そうではない。あの芝居の座本にきいたらここにそこもとがお住まいと聞いたのでな。——上げてもろうてもよいかな」

「かまわぬよ」

城代は、刀を鞘ごと抜くと、幸助の横に座った。供侍は、へっついの横でじっと立っている。幸助が城代に、

「飲むか？」

「いただこう」

供侍が「えっ？」という顔をしたが、なにも言わなかった。城代は欠けた湯呑みに

安もの の焼酎を注がれ、匂いをかいでから一気に飲み干して、生五郎とお福旦那を見やり、

「こちらの御仁たちは……？」

「俺の友人たちだ」

「さようか。今からわしが申すことは秘事中の秘事として、代々の大坂城代の申し送りになっているのだ」

「よかろう。このふたりは俺同様に思うてくれ」

城代はしばらく逡巡していたが、

「わかった。――実は、大坂に太閤秀吉の財宝が埋められている、という話はそこもとたちも耳にしたと思うが、その場所の手がかりは、幡野三郎光照が残した文書のみ。そこには『寺七』と書かれていた。わしはずっとこれを人名であろうと思うていたが、愛染坂のあたりは下寺町で八十あまりの寺が密集しておる。しかも、下寺町に寺を集めたのは豊臣秀吉だ。そのなかの七つの寺に財宝を埋めたとしてもおかしくはない」

「ふーん、なるほど」

「先日、大勢の人足によって真言坂と源聖寺坂と口縄坂が掘り返された。昨夜は愛染坂だ。昨夜、定町回りの同心が目撃したところでは、人足を率いているのはどうやら

あの秀吉男らしい。わしは、なるべくことを荒立てることなくあの男を見つけ出し、捕らえたいのだ」

「お縄にするということか」

「いや……町奉行所に関わらせるつもりはない。いたずらに罪人を増やすのは歓迎できぬ。あのものは雷に打たれて秀吉だと思い込んでいるだけだそうだな。わしは、あのものをひと目のつかぬところに住まわせ、しかるべき治療を受けさせたい。もうこれ以上秘事を知るものを増やしたくない。それゆえ、あの男とすでに関わり合いのあるそこもとたちに助力を頼みたいのだ。手を貸してはくれまいか」

「無論、俺たちもあいつをなんとかせねばと思うていたところだが……そんなことをしていたのか」

「とにかく、あちらこちらを毎晩のように掘り返されると、世間の目がそこに集まり、太閤の財宝の噂が広がる。それが困るのだ。もし、まことに見つかってしまったら、それはそれでたいへんなことになる。今、世間では徳川家に対する不満が広がっている。そんなときに秀吉と名乗る男が大金を手にするのは避けたい」

「だが、あいつはでたらめに掘っているわけではあるまい。寺七……寺七か……」

　幸助はしばらく考えていたが、

「おい、掘り返されたのは真言坂と源聖寺坂と口縄坂と愛染坂だと言ったな」

「ああ、言った」

「わかったぞ。寺七というのは『天王寺七坂』のことだ」

城代は膝を叩いた。

「なるほど、それであやつは七坂を掘り返しているのか！」

お福が、

「さすが貧乏神や。快刀乱麻やな」

「おそらく、ヒデ吉も俺と同様に推量して、天王寺七坂にたどりついたのだろう。

ということは、残りは清水坂、天神坂、逢坂だ。そこで待ち構えていれば、ヒデ吉は
きっとやってくる」

松村伯耆守は勝手に焼酎を注ぎ足すと、またしてもひと息で飲み干し、

「やはり思い切ってここに来てよかった。さっそく家来たちに命じて、今夜、その三
カ所を見張らせよう。――これは些少ながらわしからの礼だ」

城代が紙に包んだものを幸助に渡そうとすると、

「いらぬ。お上から金をもらうほど俺は落ちぶれてはおらぬ」

供侍が、

「なんだと、貧乏浪人が無礼であろう！」

城代はその侍をにらみつけ、

「差し出口をするな。これがこのものの矜持なのだ。――では、今度、ちょっとよさげな酒でもお持ちしよう。今日、おごってもろうたお返しだ。それならよかろう」

「酒か。酒ならちょうだいしよう。俺のまわりにはうわばみのような連中がたむろしている」

「そうか。ならば、わしも仲間に入れてもらおうかな」

「いつでも歓迎する」

城代ははじめてにやりと笑い、

「あの芝居の人気を見てもわかるが、大坂の民は今、政に不満を持ち、大きな息抜きや憂さ晴らしを求めてる。わしはそれを叶えてやらねばならぬのだ。――では、失敬」

そう言うと帰っていった。生五郎が、

「ふえー、大坂城代ゆうたかてさばけたもんやなあ。感心したわ」

幸助が、

「大坂のことを真剣に案じてるのはまことのようだな」

お福旦那が、

「あーあ、これでエテコのヒデ吉も捕まって、一件落着ゆうことか。けど、まあしょうがないわな。もともとただの幇間（たいこ）なんやから……」

しかし、三人が予想したとおりに話は運ばなかったのである。

◇

その日の夕刻、松村伯耆守の使いが幸助のところにやってきた。

「すぐに大坂城にお越しください。ご城代がお待ちでございます」

「お、大坂城……？」

これには幸助も驚いたが、

「俺はこの恰好しか持っておらぬぞ」

「かまいませぬ。長屋を出たところにお駕籠を支度してございます」

幸助は隣の糊屋のとら婆さんに、

「出かけてくる。留守を頼む」

「どこに行くのや」

「大坂城さ」

とらは冗談だと思ったらしく、

「しょうもな」

と吐き捨てるように言った。

幸助が乗った駕籠は飛ぶように大坂の町を横切った。大手門のまえで駕籠を下り、入って左に曲がると城代上屋敷がある。譜代大名の住まいだけあって、広大な敷地に江戸の大名屋敷並みの建物が並んでいる。使者は、そのうちのひとつに幸助を案内した。通されたのは城代の居間とおぼしき一室であった。

「葛幸助殿をお連れいたしました」

「うむ、お入りいただけ」

幸助がなかに入ると、松村伯耆守が苦虫(にがむし)をかみつぶしたような顔で座っていた。

「呼び立ててすまなかったな」

「なにかあったのか」

「秀吉に裏をかかれた」

城代が言うには、今夜、三カ所の坂それぞれに家来を派遣するだんどりにしていたが、なんとヒデ吉は昼のあいだに作業をしてしまったというのだ。しかも、三カ所同時にである。

「ひと目につかぬよう夜にやるもの、と思い込んでいた。町方同心に見つかったので、今夜は手配りされているだろうと、前倒しにしたに違いない。坂が老朽化して危ないゆえ修繕する、という名目(めいもく)で坂の上と下を通行止めにし、大きな幕で回りを囲って、大胆にも白昼堂々と掘り返したらしい。三カ所の坂を勝手に掘り返しているやつらがいる、という町奉行所からの報せでわしの家臣が駆けつけたときには、ヒデ吉めの姿はなく、人足たちが残っていただけだった」

幸助は、いかにも秀吉らしいやり方だ、と思っている自分に気づいた。いつのまにかヒデ吉だか秀吉だかわからなくなってしまっている。

「で、黄金は見つかったのか」

「それが……出てこなかったらしい」

「え……？」

「人足たちを詰問(きつもん)したのだが、皆、『なにも見つからなかった』と言うておったそうだ」

「急いで掘ったので、見逃したのではないか？」

「あやつは、黄金を見逃すようなたまではない。そこに埋まっておれば、かならず見つけるはずだ」

「つまり……黄金は七坂にはなかった、ということか……」

「そのとおりだ。申し送りが間違っていたか、それともべつの場所に埋められているのか……」

「ううむ……『寺七』は天王寺七坂ではなかったのだろうか」

「わからぬ。わしは、噂は噂のまま放っておけばよい、そのうちに沈静化するであろう、と考えていた。だが、あの男がそうさせぬ。引っ掻き回して、大騒ぎを起こして、野次馬どもの恰好の話題を作る。とにかくあの男よりも先に見つけねばならぬ。――そこもとの知恵を借りたいのだ」

「俺の知恵などたいしたものではないが……俺が思いつくようなことはヒデ吉も思いつくはずだが……」

幸助は腕組みをして唸った。目を閉じて、じっと考えていた幸助だったが、やがて目を開き、

「欲しいものがある」

「なんだ」

「酒だ」

城代はずっこけそうになった。

「上等の酒をくれる、と言うていただろう。あれを、今、もらいたい」

「どうするのだ」

「俺は、酒を飲むと頭が回るのだ」

幸助はそう言い放った。本当は、慣れぬ城代屋敷にいささか緊張しており、それをほどこうと考えたのである。城代は憮然としていたが、手を打って家来を呼び、

「酒を持て」

「は……？」

「聞こえなかったのか。酒だ。ひとり分でよいぞ」

幸助が脇から、

「冷やでよいぞ」

家来はすぐに冷や酒を入れた徳利と湯呑みを運んできた。幸助は城代に、

「すまんな。よい知恵が出てくるのが早いか、それとも俺が酔っぱらって倒れるのが早いか競争だ」

そう言うと、がぶりがぶりと酒を飲んだ。酒はどんどん減っていく。そのさまを松村伯耆守はしばらく見つめていたが、

「ええい、わしも飲む」

湯呑みの茶を飲み干すと、そこに徳利の酒を自分で注いだ。幸助は、

「こないだの芝居は面白かったな。歌舞伎を観にいったのは仕官を辞めて以来はじめてだ」

「うむ。わしも芝居など久しぶりだった。セリフを書き換えてあるか検分する、という名目であったが、存分に楽しめた。あれが、大坂の町のものが思うておる秀吉像なのだろうな」

「そういうことだ。芝居や読みもの、講釈などによると、低い身分から太閤にまでのぼりつめ、天下に号令を下した英雄のようだが、まことの秀吉はろくでもないこともさんざん行っている。けっして褒められるだけの人物ではないが、大坂では今もあのとおりの人気だ」

「最後の北野大茶会の場面など絢爛たる舞台に仕上がっていたな。あれを最後に持ってくるところが上手いのう」

「北野の茶会は秀吉が行った最後のよろしき行いだった。あのあと、無謀な朝鮮出兵を行い、千利休と甥の秀次をむりやり切腹させた。その結果、大坂夏の陣で豊臣家は滅亡した。滅ぶべくして滅んだのだ」

「秀吉は有馬でも大茶会を開いておるな。京と兵庫で茶会を行ったのに、なにゆえここ大坂では行わなかったのだろう」

城代は飲みながらそう言った。

「それはおそらく……太閤はやりたかったと思うが、大坂ではむずかしかったのだろう」

「なぜだ」

「大坂は水が悪い。井戸水をそのまま飲めぬので、水船を出して淀川の水を汲み、それを水屋が売りに来る。茶会に使う水なら、青湾と呼ばれる淀川上流の水を使わねばなるまい。大茶会ともなるとそれが大量にいるゆえ、断念したのではないだろうか」

「そういうことか」

「まあ、これは俺の推量だ。でも、大坂にもよい井戸水はないことはない。天王寺七名水といってな、天王寺のあたりに金龍、有栖、増井、安井、玉手、亀井、逢坂の七つの井戸があり、ここの水は古来、たいへん上質だとされている。なかには聖徳太子や菅原道真に由来するほどの古いものもあるそうだが、秀吉が大坂城を築いたときにそういう名水を探し集め、みずから命名したとしても不思議はない」

そこまで言ったとき幸助は湯呑みを口に運ぶ手を休め、

「天王寺七名水……」

「どうした」

幸助は湯呑みを畳に置き、

「酒の効能がさっそく表れたぞ」

「なに……？」

「わかった……今度こそ本当にわかったぞ！」

幸助ははればれとした顔でそう言った。

◇

「どないしてくれるんじゃ！」

長屋の一室で鶴丸はヒデ吉の胸倉をつかんだ。ヒデ吉はその手をふりほどき、

「知らぬわ！　おまえたちがおのれの腹積もりで欲をかいただけではないか。わしのせいではない」

「おまえが七坂のどこかに埋まってる、ゆうて請け合うさかいに金をつぎ込んだのや。酒肴の代金、人足への支払い……とんでもない額やで」

「はっはっ……大博打に全財産をぶち込んで、すってしもた、と思えばええのや。また働いて、取り返せ」

「アホなこと言うな。このままでは召し捕られてしまうがな。どどないしょ……」

ダラ助が、

「兄貴、こないだ三尺高い木の上にさらされても本望や、太く短く生きてみせる、て言うとったやないか」

「あれは、太閤の財産をわしが手にすることができたら、て言うたのや。まだ黄金はおろか鐚銭(びたせん)一文見つかってないやないか」

「そらそやなあ」

鶴丸がヒデ吉に、

「なんとか思い出してくれ。黄金は、七坂やなかったらどこに埋まってるのや」

ヒデ吉は天井を向いて、

「さてのう……どこじゃったかのう……」

「とぼけるな！　とっとと思い出さんと……」

鶴丸は匕首を抜いた。しかし、ヒデ吉はじろりとその刃を見ただけで、

「そんなものはしまえ。余が今欲しいのは……」

「なんや」

「酒じゃ」

鶴丸はずっこけそうになった。

「余は、酒を飲むと頭が回るのじゃ」

「知るか！　もう酒はない。全部人足連中に飲ましてしもた。水しかないわ」

「水か。情けないのう……」

「贅沢抜かすな！」

怒鳴りながらも鶴丸は、湯呑みに水を入れ、ヒデ吉のまえに置いた。ダラ助が、

「これはええ水なんやで。このあたりは水が悪い土地やさかい、井戸の水は飲めん。普通は、水屋が淀の水を水船で取ってきたのを買うのやけど、これはそのままでも飲める名水なんや」

「名水じゃと？」

「知らんのか。天王寺七名水ゆうてな、金龍、有栖、増井、安井、玉手、亀井、逢坂の七つの井戸のことや」

ヒデ吉の目がぎらりと輝いた。

「なーるほど……なるほどなるほど」

「なにがなるほどや」

「やっとすべてを思い出したのじゃ」

「えっ……財宝の場所か」

「そうじゃ。寺七というのは、天王寺七坂ではなく、天王寺七名水のことであった」

「あ……！」

「兄貴、ということは七名水を片っ端から井戸浚(さら)えしたら……」

「そや！　今晩からやるで。支度せえ！」

井戸浚えというのは、井戸に潜(もぐ)ってできるだけ水を掻い出し、底にたまった砂やゴミを浚うことで、年に一回行われていた。

「いや……待て」

　ヒデ吉が言った。

「そんなことをせずともよい。余が、七名水のどの井戸に黄金があるか教えてやる」

「なんやと？　それも思い出した、ゆうのか」

「そういうことじゃ。これは暗号になっておるようじゃ。それが今、解けた」

「あ、兄貴……こいつ、ほんまにほんまの秀吉とちがいまっしゃろな」

ヒデ吉はからからと笑いながら、

「天王寺七名水は、かつて余が選定し、命名したものじゃ。そこに余の意図がある。——さあ、掘り出しに参るぞ、財宝を……」

「ほんまにここで待ってたらヒデ吉が来よるんかな」

木の陰にしゃがみこんだお福旦那が言った。月が井戸端を照らしており、明かりがなくても見通しはよい。かなり大きな井戸で、直径は四尺(約一メートル二十センチ)ほどもあった。幸助が、

「たぶんな。俺の推量が間違っていなければ、あの男はこの井戸に来る」

生五郎が、

「寺七が『天王寺七名水』やというのは納得しましたけど、なんでここ……玉手の清水なんだす? ほかの六つはハズレでやすか」

玉手の清水は一心寺にほど近い場所にある。道から少し入ったところなので、ひと目にはつきにくい。

「ごちゃごちゃ言わずに待っておればわかる」

三人はそれから一刻（約二時間）ほどしゃがんで待ち続けた。お福が、

「ああ、腰が痛い。今日はもう来んのとちがうやろか」

　幸助が、

「しっ……！　静かに！」

　向こうから足音が近づいてくる。ヒデ吉がふたりの男を従えてやってきた。生五郎が、

「先生、大当たりや」

　幸助はにやりとした。

「さあ、やろか」

　鶴丸とダラ助が、つるべで水を何度も何度も汲み出しては捨てはじめた。できるだけ水を減らしておいてから、井戸にかぶさっている屋根に大きな滑車をつけた。ダラ助が手燭台を持ち、縄にぶら下がって井戸のなかに降りていった。

「どや……？　なんぞあるか」

　鶴丸が提灯を掲げて、井戸をのぞき込んだ。

「まーだーわーかーらんー」

　ダラ助の声はやまびこのように反響した。彼は帯に挟んであった小さな鋤で足もと

に溜まった水のなかを掘りはじめた。しばらくすると、

「なんか横の壁に扉みたいなもんがあるわ」

「それを開けてみい」

　ダラ助は水のなかに右手を突っ込み、扉をこじ開けようとしたが、

「あかん。無理や。手燭持ったままでは動かせん。——兄貴、来てくれ」

「わかった」

　一旦縄が引き上げられ、鶴丸が降りてきた。今度はふたりがかりである。石でできた重い扉がようやく開いた。そこから横穴が斜めうえに向かって続いており、水は入ってこない構造になっている。思い切って横穴に入り、這うようにして進んでいくと、かなり大きな空間に出た。そこには木箱のようなものが、しかも相当な数積み上げられていた。どうやら蔵のようなものらしい。ふたりは抱き合って、

「やった、やった……！　太閤の隠し財産、見つけたぞ！」

「兄貴、わてら大金持ちだっせ。けど、これだけの木箱、どこへ置きまんのや。長屋は無理だっせ」

「すぐ近くに、ええ廃寺を見つけてある。そこの境内は草ぼうぼうやから、隠すにはもってこいや。まだひと仕事残ってる、ゆうことやな」

「けど、兄貴、これだけの金が自分らのもんやと思うたら、疲れも吹っ飛ぶな」

「うむ……最後はあいつを殺してしめくくりや」

鶴丸はうえに向かって、

「あったぞ！　おまえの言うたとおりやった。箱を縄にくくりつけるさかい、引っ張り上げてくれ」

「よしきた」

鶴丸は木箱のひとつを縄でくくると、

「ええで！」

しかし、木箱は動かない。

「なにしとるんや！　早う上げんかい！」

「いや、縄は上げぬ。さらばじゃ」

「さらば……てどういうこっちゃ！」

「おまえたちが余を殺して、黄金の分け前を減らそうとしているのはお見通しじゃ。おまえたちは井戸のなかにおれ。明日は大雨が降るらしいぞ。打たれて汗を流すがよい」

「ちょ、ちょ、ちょっと待て。こんなところにほうっていかれたら死んでしまう。引き上げてくれ」

「はっはっはっ……こんな計略にひっかかるとは甘いのう。財宝とともに一晩中そこで叫んでおれ」

　ヒデ吉は高笑いして立ち去ろうとした。

「待て、秀吉」

　幸助は木の陰から足を踏み出した。

「なんじゃ、おまえか。ようここだとわかったな」

「天王寺七名水は、金龍、有栖、増井、安井、玉手、亀井、逢坂の七つだ。頭の文字だけをつなぎ合わせて逢金有増玉亀安の順に並べ替えると、逢金有増玉亀安（あふごんありますたまがめやす）と読める。つまり、黄金あります、『玉』が目安……玉手に黄金がある、ということだ」

「さすがじゃ。見事な謎解きじゃな」

　ヒデ吉はにやにや笑っている。

「おまえと同じ道筋をたどって推量したのだ」

「余は、推量したのではない。『思い出した』のじゃ」

「この金をどうするつもりだ」

「知れたこと。豊臣家再興のための軍資金にするのじゃ」

「なぜ止める。徳川家の政は善政とはいえぬぞ。おまえもその犠牲者のひとりではないか」

「やめておけ」

「俺が政の犠牲者だと？」

「そのとおり。あのような貧乏長屋に住み、年中ひもじい思いをしておる。余が天下人となれば、世のなかの金回りをもっともっと良くすることができる」

「どうやって？」

「まずは参勤交代をやめる。ひとりの大名が国表と江戸を往復するだけで一万両（約十億円）もかかるというではないか。それを日本中の大名が行うのじゃから、二百五十万両の金を使うことになるが、これがなんの役にも立たぬ死に金なのじゃ。諸大名の台所を逼迫させ、徳川家に抗う力を持たせぬようにやっておることだというが、それだけの金を貧しいものたちにくれてやればどれだけ感謝されるかしれぬ。徳川家がやっておることは金をドブに捨てさせておるだけじゃ」

「おまえの言は正しいと思う。だが……おまえがそれほどえらいのか」

「なに……？」

「秀吉、おまえはたしかに百姓から身を起こし、天下を取った英雄豪傑だ。その功績も偉大なものがある。しかし、同時におまえは、聚楽第に落書きが書かれたことに怒り、六十人もの人間を磔にした。また、三木城では『干殺し』、鳥取城では『渇え殺し』、高松城では『水攻め』と呼ばれる兵糧攻めを行い、無数の餓死者を出した。毛利攻略に際しては、降伏した城兵の首をはね、子どもを串刺しにし、二百人の女を磔にした。天下統一ののちも、千利休や甥の関白秀次を無理矢理切腹させ、朝鮮出兵を行い、なんの罪もない何万という異国の民が犠牲になった」

　ヒデ吉は顔を挙げてしばし無言であったが、やがてぼそりと、

「そんなこともあったかのう……」

「おまえのなしたることは決して良きことばかりで彩られてはおらぬ。徳川家を滅ぼし、豊臣を再興するなどやめたらどうだ。それは大坂の民がまことに望んでいることと思うか。民が望んでいるのは、頂点が豊臣であろうと徳川であろうと関係ない。平穏な暮らしだ」

「…………」

　ヒデ吉はふたたび黙り込んだ。長い沈黙の果てに絞り出すように、

「おまえの言うことにも一理はある。余はこの黄金を大坂の民のために使いたい。よき思案はないか」

「それなら、茶会を開いたらどうだ」

「茶会……？」

「そうだ。おまえは京都と有馬では大茶会を開き、多くの民を身分の別なく無料で招待したらしいが、肝心のここ大坂では行っていない。茶を点(た)てるには上質の水が必要だから、青湾から何千人分の水を汲んでくるとしたらとんでもない金がかかる。もちろん茶もとびきりよいものが必要だろう」

「なるほど……。もし、大坂大茶会を開いてくれ、それが疲弊した大坂の民を救うことになるなら、余はこの黄金を徳川に渡してもよいぞよ」

　そのとき、

「大坂大茶会の開催はわしが請け合おう」

　そう言いながら闇のなかから現れたのは大坂城代松村伯耆守であった。提灯も持たず、供も連れていない。

「おお、おまえも来ておったか」

　ヒデ吉はにっこり笑ってそう言った。

「わしに任せてもらえるなら、大坂での大茶会、かならず成功させてみせる。場所は、大坂城の山里曲輪(やまざとくるわ)を提供する。どうだ？」

「うはははは……それはよい！　大坂で大茶会にもっともふさわしい場じゃ」

「ただし、豊臣秀吉主催、とうたうわけにはいかぬが、『真柴日枝義追善大茶会』ならばよかろう」

「うむ、かまわぬよ」

ヒデ吉はあっさりとうなずいた。城代は、

「ありがたい。さっそく茶会のだんどりにとりかからねばならぬ。水や茶、茶器、釜、茶筅などをそろえるだけでもたいへんだ。あと茶菓子も手配せねば……。野点のための床几や傘もいるわい」

「なんだかうれしそうだな」

幸助が言うと、

「大坂城代職を将軍家から拝命して以来、いちばんやりがいのある仕事だ」

「芝居小屋を作って、市川黒太夫一座に『立身日出勢』を上演してもらうというのはどうだ」

「それもよいな！」

三人は笑い合った。城代は、

「では、黄金はしばらくこの井戸のなかに置いておこう。今、掘り出すと騒動になってもいかぬ。この井戸の水は、大茶会で使用する、という名目でしばらく塞いでおこう」

ヒデ吉は、

「それがよかろう。見張り番もふたり、つけてあるゆえな」

そう言ったとき、井戸のなかから、

「おーいーたーすーけーてーくーれー」

という声が聞こえてきた。

「大坂の地に高まる徳川家への怨嗟の声を払拭し、民衆を息抜きさせるため」として大坂城代が老中に申し入れた。それが承認され、大坂城で「真柴日枝義追善大茶会」が開かれることが正式に決まった。大坂に住んでいるものだけでなく、遠国のものも参加してよい。参加費は無料なのだ。芝居もタダで観られる。場所は山里曲輪で、もちろん本丸、二の丸、西の丸やほかの曲輪などに入ることは許されないが、山里曲輪だけでも二千坪もあるのだから充分である。期間は五日間だという。

「えらいことになったなあ」

「ほんま、えらいことになったなあ」

「これは行かなあかん。一生の思い出やで」

「ほんま、一生の思い出やなあ」

「なにもかもタダゆうのが豪儀やないか」

「ほんま、豪儀やわ」

「どこぞの太閤好きの金持ちがポンと金を出してくれたらしい」

「ほんま、ポンと金を出してくれたんやてなあ」

「おまえ、自分の頭で考えてしゃべれんのか」

「わて、お芝居楽しみやわ。面白そうやなあと思てたけど、高うて観られへんかったのや。役者も一流らしいで」

「ほんま、一流ぞろいやなあ」

「おまえも自分の頭で考えてしゃべれ」

　大坂の町はたいへんな盛り上がりである。弘法堂も留守番をひとり残して、店総出で茶の湯に参加することになった。三河屋もそうするつもりだったが、ヒデ吉がまた激昂しては……と主はみずから留守番を買って出た。

「茶の湯てどないするんや」

「さあ……茶を飲めばええんとちがうか」

「アホ、茶の湯というのはやなあ……」

にわか茶人が大坂の町に増えた。

そして、大茶会の前日、幸助、お福旦那、ヒデ吉の三人は大坂城代の招待によって山里曲輪に立っていた。すでに、毛氈（もうせん）を敷いた床几が多数並べられ、仮設の茶室や芝居小屋などもすでに完成していた。広大な曲輪に赤い傘がずらりと並んでいる光景は壮観だった。

「たいしたものだな……」

幸助が言うと、大坂城代は、

「わしは本気で大坂の民に楽しんでもらいたいのだ。気合いをいれたぞ」

お福旦那も、

「ええひとがご城代のときでよかったわ。欲深いやつが城代やったら、掘り出した黄金は全部お上が没収……ゆうて、なんぼかぽっぽに入れよるはずや」

城代は、

「あれは、今日、井戸から取り出す作業をしておる。三万貫という噂もあったが、実際にはそれほどでもなさそうだ。かなり頑丈な木箱なので一日で終わるかどうかわからぬが、秀吉公にもご覧いただかねばならぬからな」

冗談を言いながらふとヒデ吉を見た。ヒデ吉の両目からは涙がこぼれていた。

「どうしたのだ」

ヒデ吉は手ぬぐいを出して涙を拭き、鼻をかんだ。

「うう……うううう……」

ヒデ吉は呻き声を上げ、真っ赤に泣き腫らした目を幸助たちに向けた。

「思い出したぞ。ここじゃ……ここが山里曲輪じゃ。忘れもせぬ。天正十二年、千利休と津田宗及とともに余はここにあった草庵で茶室開きを行った。茶々と鶴松（秀吉の長男で早逝）もいたのう。あのころ余は天下統一の道半ばであり、徳川家康、織田信雄、長宗我部元親、紀伊雑賀党らと一戦交える直前だった。あのときの茶の湯のことは忘れぬ。干戈の動かぬときのなかった余の生涯において、つかのまの休息であった。あのあと余は天下人となったが、その過程で秀次や千利休を切腹させ、朝鮮の民も殺した。思えば許されぬことをしたものよ」

幸助が、

「おい……おまえ、なにを言っているのだ」

「余は、このヒデ吉という男が雷に打たれ、頭のなかが空白になっているのにつけこんで、そこに入り込み、久しぶりの現世を楽しんだ。念願であった大坂での大茶会も催(もよお)せることになったし、もう思い残すことはない。長々世話になったが、これでさらばじゃ」

　幸助はヒデ吉の肩をつかんで揺すぶり、

「おまえはまことの豊臣秀吉なのか……!」

「はははは……今までだれだと思うておったのじゃ。おまえたちと出会えて楽しかったぞ。だが、それももう終わりじゃ。余はこのものの身体を去る」

　そのとき、大坂城代の家臣のひとりが蒼白(そうはく)な顔で駆けてきた。

「申し上げます」

「なんだ」

「玉手の井戸より取り出しましたる木箱を開けてみたところ、なかに入っていたのは瓦礫(がれき)でございました」

「なに……?」

「念のためにすべて開いてみたのですが、どれもこれも出てきたのは石ころばかりで……」

城代はヒデ吉に、

「どういうことだ！」

「ははははは……余が臨終のとき、家臣に命じて隠し場所を変えたのじゃ。それをたった今思い出したわい」

「まことの隠し場所はどこにあるのだ！」

「ははは……それはじゃな……大坂の……」

そこまで言ったとき、ヒデ吉の身体は糸が切れた人形のようにその場に崩れ落ちた。あわてて幸助が抱き起こしたが、ヒデ吉は白目を剝き、口から泡を吹いている。

「おい……おい！　しっかりしろ！」

水を飲ませるとヒデ吉は意識を回復した。

「あれ……わて、こんなとこでなにしとるんや……」

城代が、

「黄金はどこにある？」

「はあ……？　なんのことや？　たしか、大雨が降ってるとき木のまえで裸で逆立ちして……」

幸助はお福と顔を見合わせた。

「どうやら幇間に戻ったようだな」

きょとんとするヒデ吉に幸助は、

「おまえは今の今まで豊臣秀吉であったのだ」

「はあ……？」

「なにか覚えておらぬか」

「さあ……なにがなにやらさっぱりわやでございます」

城代は苦い顔で、

「せめてあと少し秀吉でいてほしかったわい……」

そうつぶやいた。幸助は笑いをこらえるのに苦労したが、

（これでよかったのだ……）

と思わないでもなかった。

◇

ヒデ吉がもとに戻ってしまったので、太閤秀吉の隠し財産のありかはわからなくなってしまった。しかし、一度告知したことを取りやめることはできず、大坂大茶会は

予定どおり大坂城内で行われた。その費用は城代が大坂金奉行に命じて大坂城金蔵の蓄え金を取り崩させたほか、三河屋やお福旦那をはじめ、今回の試みを意気に感じた大坂豪商の有志が分担してまかなった。ただし、期間は五日から三日に短縮されたという。

大茶会で上演されたことで「立身日出勢」の評判はますます高まり、翌月も延長しての上演が決まった。

「これで借金が返せますわ。明日からまた道頓堀でええ芝居見せまっせ」

黒太夫はほくほく顔で幸助にそう言った。三河屋の主は、ヒデ吉を生涯贔屓にすると宣言した。

幸助が長屋に帰ると、老人姿のキチボウシが勝手に酒を飲んでいた。

「大茶会はどうであった？」

「盛況だったぞ。おまえも行けばよかったのに」

「ふん！　茶などいらぬ。大酒会ならば行ってもよかったがな」

「皆、喜んでいた。なにしろタダだからな」

キチボウシはじろりと幸助を見、

「タダほど高いものはない。我輩には大坂城代の思惑がようわかるわい」

「なに？」

「大坂城代はおそらく老中になる。つまりは徳川の政を司る身じゃ。大坂の民を息抜きさせるなどと言うておるが、とどのつまりは茶会などで憂さ晴らしをさせて、皆の不満を抑え込もうというわけであろう。秀吉もおまえも、政の道具に使われたのじゃ。情けないにもほどがある」

幸助はぶすっとしてキチボウシの湯呑みをひったくり、その酒を飲んだ。たしかにそういう側面はある。不平不満をこういうやり方で解消する善し悪しについては幸助も考えぬではなかった。やはり、財宝は見つからない方がよかった、と思う幸助であった。

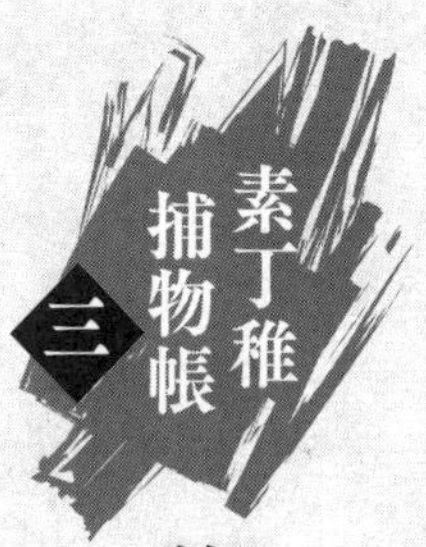


# 夢見丁稚

筆問屋「弘法堂」の朝は毎日大騒ぎになる。明け六つ（午前六時ごろ）には店を開けるため、丁稚たちはまだ暗いうちから起き出して、眠い目をこすりながら部屋を片付け、手水を使い、朝ご飯を食べたあと、店の表を掃除したり、商品を並べたり、と開店の支度にとりかからなければならないが、子どもなのでなかなか起きられない。だから結局、主の森右衛門や番頭の伊平は丁稚よりも早くに起きて、彼らを起こしてまわる。これが毎朝たいへんなのである。

亀吉、鶴吉、寅吉、梅吉……といった丁稚たちのうちで、いちばんの朝寝坊はなんといっても亀吉である。今日も、ほかの丁稚たちはなんとか起きたが、亀吉だけが布団から離れようとしない。

「これ、亀吉！　起きなはれ！」

伊平が耳もとで怒鳴ったが、まったく動じることなく寝息を立てている。

「起きなはれ！　もう朝やで！」

伊平は亀吉の身体を揺り動かしたが、むにゃむにゃと口のなかで言いながら眠り続けている。伊平は最後の手段として布団を引っ剝がしたが、亀吉は両手で布団にしがみついてついてくる。

「あきれたやっちゃな。亀吉！　ほかの丁稚はとうに起きてるで！　ええかげんにしなはれ！　亀！　亀！　起きろ亀！」

亀吉はうっすらと目を開け、

「ん……？　もう朝か……？」

ようやく起きたか、と伊平がホッとしたとき、

「いや……そんなはずはない。まだ夜や。おやすみ……」

また目を閉じてしまった。伊平は、もう一度「起きろ亀！」の連呼をはじめなければならなかった。

「あ、番頭さん、おはようさん」

「おはようさんやないわい！　もうちょっと早う起きてもらわんとかなわん。とっとと顔洗うてきなはれ！」

「へーい」

伊平は亀吉を見送ったあと、

「疲れた……」

とつぶやいてため息をついた。これが毎朝なのである。

一方亀吉は欠伸（あくび）を連発しながら井戸端で顔をごしごし洗い、ふさ楊枝（ようじ）で歯をちょいちょいと掃除したあとうがいをして、部屋に戻ってきた。

「あーあ……なんで朝起きなあかんのやろ。朝になったら起きる、てだれが決めたんや。公方（くぼう）さまやろか。眠いなあ。もっと寝てたいなあ。できたら一日中寝てたいぐらいや」

伊平が聞きつけて、

「アホなこと言うとらんと、朝御膳食べて、働きなはれ！　ぼーっとしてたら店放り出すで！」

「すんまへーん！」

伊平がふたたび深いため息をついたとき、

「番頭どん、ちょっと……」

部屋の入り口にいた主の森右衛門が伊平を呼んだ。

「へえ……なにか？」

「あのなあ、わしの部屋の簞笥のうえに置いてあった巻物知らんか？」

「巻物？　へえへえ、こないだ旦さんのお部屋に呼ばれたときにちらと目に入りましたけど……見あたりまへんのか？」

「そうなんや。あれは、奈良筆の名店春暁堂のご主人からお借りしたもんでな、筆作りの秘伝が書いてあるのや。頼み込んで書き写させてもらうことになったのやが、簞笥のうえに置いといたはずが今見たらどこにもない。部屋を掃除したときにどこかに移したのかと思て、おもよとおなべにきいても知らんて言うし。家内も袖もせがれ夫婦も見たことがないて言う。無理言うてお預かりした大事なものやさかい、なくしました、では通らんのや」

「それは困りましたなあ」

「そや、亀吉、おまえ、巻物を見かけんかったか？」

「さ、さあ……わて、そんなん知りまへんで」

「そうか……番頭どん、ほかの丁稚や手代、子守りにもきいてみとくれ」

「わかりました。けど、旦さんのお部屋には、丁稚や手代は呼ばれたとき以外は滅多に入りまへんで。お掃除は女子衆の役目だすし、仏間なら丁稚がお仏壇の掃除に入ることもおますけど……」

「そやなあ……」

「あとは、お店のどこかか、蔵のなかか……」

「まあ、わしがどこかに置き忘れてる、というのがいちばんありそうな話やけど、それがどうしても思い出せんのや。とにかく今から徹底的に家探しをしますから、皆手伝うておくれ」

　亀吉は、

「ほな、わて、庭のお掃除してきます」

　そう言うと部屋を出ていった。しかし、主の森右衛門も番頭の伊平も、亀吉が真っ青な顔で震えていたことには気づかなかった。

（えらいこっちゃえらいこっちゃ、どないしよ……！）

　よたよたと歩きながら亀吉は考え込んだ。

（あれ、そんなに大事なもんやったんか……。こないだ旦さんの留守のあいだに部屋に入って、お菓子鉢からお菓子を盗み食いしよ、としてたら簞笥のうえに巻物があったさかい、口にくわえて忍術使いの真似しながら、『ありがてえ、かたじけねえ、まんまと宝蔵へ忍び入り、奪えとったる旦さんのお菓子、これさえあれば大願成就、どろんどんどんどん……』ゆうて遊んでたら、そこへ野良猫がどこからか入ってきて、巻物に飛びついたのや。その拍子に巻物がびりびりっ……と破れてしもた……。猫は逃げて、残ったのはわてと破れた巻物や。わてには修理でけへん。けど、かっこん先生やったら絵師やさかいもしかしたら直せるかもしれん、と思て、筆の材料届けるときに持っていったら、なんとかしてやる、て言うてくれはった。せやから、あの巻物、今はかっこん先生のところにあるのや。どないしよ、どないしよ、どないしょどないしょ、どないしよ……）

もちろん眠気など吹っ飛んでいた。寅吉や鶴吉、梅吉、おやえなどと一緒に店のすみずみまで探すふりをしながら、亀吉は気が気ではなかった。

「ご免！　できあがった筆を持ってきたぞ」

表で声がした。亀吉にはすぐにその声の主がだれであるかわかった。外に飛び出すと、

「貧乏……やない、葛鯤堂(かっこんどう)先生、お越しやす」

「なんだ、亀吉。今日は貧乏神だの葛根湯(かっこんとう)だのと言わぬのか」

「それがその……えらいことになっとりまして……」

亀吉は小声で言った。

「先生に修理を頼んだ巻物、旦さんがよそからお借りした大事なもんやったらしゅう

て、今、お店総出で探してますのや。わてが壊したことバレたらどんだけ叱られるか……。お店クビになるかもしれまへん」

「ああ、中身を見ると、よその店の秘伝が書かれていたので、もしかするとそんな代物かもしれぬと思って……ほら」

幸助はふところから巻物を取り出した。

「うわっ……もう直りましたんか。おおきにおおきに」

あわてて亀吉は幸助の身体を押し、店からかなり離れた場所まで移動させた。

「たぶんだれが見ても気づかぬぐらいには修理できているはずだ。いつもはおまえが筆を取りにくるが、今日はこれをついでに渡してやろうと思ったからこちらから参ったのだ。さあ、受け取れ」

「ああ、よかった。――けど、これ、今見つかったら騒動になります。みんなで探し回っとりますさかい、こっそり旦さんの部屋に返しにいくわけにもいかん。どないしたらええやろ……」

「ふーむ、なるほど……ならばこういうのはどうだ」

幸助は亀吉の耳に口をつけてなにごとかしゃべった。

「えーっ、そんなんでうまいこといきますやろか」

「それはわからん。おまえの芝居心にかかっている。がんばれ」

幸助が背中をどやしつけると亀吉は、

「ひえーっ……」

心細そうな声を上げた。

結局その日、巻物は見つからなかった。主の森右衛門がいらだっているのは店のものにもよくわかったので、仕事を終えたあとは皆そそくさと晩御飯を食べて寝てしまった。深夜、亀吉がごそごそと起き上がってどこかへ行き、四半刻（約三十分）ほどしてから戻ってきたが、白河夜船でだれも気付かなかった。
そしてまた夜が明けた。伊平が、
「さあ、みんな、起きなはれや！　朝やで！　旦さんを怒らさんように、早よ起きて布団片づけてご飯食べてお店開ける支度しいや！　朝や朝や！　鶴吉、寅吉、梅吉、起きなはれ！　亀吉……亀吉がおらんやないか。どこに潜り込んで寝とるんや……」
「番頭さん、おはようさん」

すぐ横に亀吉が立っているのに気づいた伊平はぎょっとした。

「か、亀吉……なんで起きてるのや」

「朝だすさかい起きましたんや。おかしおますか」

「い、いや……それが当たり前やねん。おかしいことはあらへん。ただ、毎朝おまえはなかなか起きへんさかい……」

「なんか変な夢を見て、起きてしまいましたんや」

「変な夢てどんな夢や？」

思わず伊平が聞き返すと、

「へえ……旦さんが、今日はおめでたい日やさかい巻き寿司を食べよか、て言わはりまして、お店ご一統で巻き寿司をちょうだいしてましたんや。そしたら近所の野良猫が入ってきよって、皆が『野良猫や！　追い出せ！』て言い合うてると、その猫が旦さんのまえにあったまだ切ってない巻き寿司をパクッとくわえて、ピューッと走り出したんでおます。お店総出で追いかけたら、その猫、壁に爪かけて上っていって、長押のうえにお寿司ポイッと置くとどこかに去によった。そこで目が覚めました」

「けったいな夢やなあ。いつもいつも食いもんのことばっかり意地汚う考えてるさかい巻き寿司の夢なんか見るのや。早う顔洗うてきなはれ」

伊平がそう言ったときに後ろにいた森右衛門が、

「待ちなはれ。巻き寿司ゆうたら丸うて細い筒を黒い海苔で巻いたもんや。それ……巻物のことと違うか？」

伊平が笑って、

「旦さん、丁稚(こども)の夢を真に受けてどないしますのや」

「いや、夢は正夢ということがある。今のわしは、たとえどんなしょうもない手がかりにでもすがりたい気持ちなんや。悪いけど、皆で手分けして全部の部屋の長押を見てもらえるか」

旦那の言いつけなので、丁稚や手代、女子衆たちは「アホらしい」と内心思いながらも踏み台を使って各部屋の長押のうえを確認した。客間の長押を調べていた飯炊きの権兵衛(ごんべえ)が、

「なんかここにあるで……なんやろ……わあっ、こ、これ、巻物や！」

そう叫んで踏み台から落ちた。したたかに腰を打った彼が握っているのはたしかに巻物だった。森右衛門が駆け寄ってその巻物をひったくり、なかを見た。

「こ、これや！　なくなった巻物や！　あー、助かった！」

森右衛門はホッとした表情になったが、

「けど……なんでこの巻物、わしの部屋にあったはずやのに客間の長押にあるのや」

　亀吉がびくっと震えた。しかし、手代のひとりが、

「もしかしたら巻物をくわえた野良猫が客間に入って長押に置いていきよったのとちがいます。ほら、ここにかすかに猫の毛みたいなもんがついてますわ」

「なるほど。猫の仕業(しわざ)か」

　森右衛門はうなずくと亀吉に向き直った。

「亀吉……」

「へ、へえ！」

　亀吉はびくりとした。

「すごいやないか！　おまえの夢占いが当たったのや。たいしたもんやな。おまえにそんな才能があったとは知らなんだ。おおきにおおきに……助かったわ。これ、とっといてくれ。小遣いや」

　そう言って森右衛門はいくばくかの小銭を出し、亀吉に手渡した。

「へ、へえ……」

　森右衛門は一同に向き直り、

「今日はほんまにめでたい日や。亀吉が夢で見たように、祝いに巻き寿司を皆で食べ

よやないか」

うわーっ、という歓声が店中に響き渡った。そんななかで番頭の伊平は亀吉の横顔をじっと見つめていた。

「すごいがな、亀吉! 夢で旦さんの失くしものをみつけるやなんて……!」

丁稚仲間ではいちばん身体の大きい寅吉がそう言った。

「いや……そういうわけやないのやけどな……たまたまやねん、たまたま」

子守り奉公のおやえも、

「うちもびっくりした。亀吉っとん、そういう才があったのや。うちの運勢も観てほしいわ」

「へへへ……」

亀吉は頭を掻いた。鶴吉が、

「番頭さんのお見合い、うまいことといくかどうか占うてあげたらどないや」

一番番頭の伊平はこれまでに八回、見合いに失敗しているのだ。

「夢占いで『失敗の連続になる』て出たらかわいそうやさかいやめとくわ」

手代の丁松も、

「今度兼好寺で富くじがあるのやが、何番の札が一番くじに当たるか教えてほしいわ。当たったら大金持ちや」

「富札みたいに高いもん、よう買いまへんやろ」

丁稚には給金はない。寝る場所と三度の食事と衣服を与えてもらい、商売を教えてもらうかわりにタダで働くのだ。たまに小遣いをもらったり、得意先からお駄賃をもらうこともあるが、それだけだった。手代になると給金がもらえるが、月に銀十匁から二十匁ほどで、富札を一枚買ったらおしまいである。

「絶対に当たるとわかってるなら、あちこちから借金したおしてでも買うわ」

「こわー」

一番年下の梅吉が、

「亀吉っとんが夢占いできるんやなんてこれまで聞いたことないなあ。なんで急にできるようになったん？」

「さあ……わてにもわからん。今朝、そういう夢を見て、その中身を旦さんに言うたら当たってた、ゆうだけや。たぶんいつもは優しい旦さんが、昨日の晩いらついてはったから、旦さんお可哀そうやな、わてもなんとかお役にたちたい、という気持ちがああいう夢を見せたんやと思う」

　店のものたちが亀吉のまわりに集まって賞賛の声を送っていると、通りがかった伊平が、

「亀吉、いつもと違うてえらい殊勝なこと言うやないか」

「わてはいつも殊勝だっせ」

「これから毎朝、夢の話をぺらぺらしゃべるんやないやろな」

「そんなことしまへん。わてはこの夢占いの能力を『丁稚同心組』に役立てるつもりだす。悪いやつがどこに隠れてるか、とか、事件の真相は、とかを言い当てますねん。

な、なんでわかったのや！　ふっふっふっ……この夢見の亀吉が夢で見たのや！　大坂の平和を守る弘法堂の丁稚同心組！」

「アホなこと言うてんと、もう巻物は見つかったのやさかい、おまえらとっとと仕事に戻りなはれ」

「へーい」

　奉公人たちはそれぞれの仕事のために散っていった。しかし、亀吉は伊平に、

「番頭さん、今度のことはわてのお手柄だっしゃろ」

　そう言って店に向かう亀吉に、伊平は首をかしげた。そのすぐあと、弘法堂の十六歳になるひとり娘袖が奥からやってきて、

「亀吉はどこにおる？」

「今、店に出ましたけど」

「亀吉は夢占いができるそやな。お父ちゃんから聞いたわ」

「うーん……旦さんが失(な)くした巻物が、今朝、亀が見た夢がきっかけで見つかったことはたしかでおます」

　伊平はもってまわった言い方をした。

「亀吉にちょっと用事があるさかい今からわたいの部屋に来させてほしいのや。かまへんか？」

「へえ、亀になんのご用事で？」

「わたいも失(う)せものを占うてもらいたいのや。じつは……数珠(じゅず)を失くしてしもてなあ……」

「数珠ぐらいよろしいやおまへんか」

「それがその……太一郎(たいちろう)さんにもろたもんやねん。上等の黒檀(こくたん)でできた、かわいらしい数珠でな、赤い房がつけてある。わたいによう似合うように、ゆうてわざわざ職人

に作らせたんやて。わたいも大事にしてたんやけど、何日かまえから見あたらへん。探しても探してもない。太一郎さんに申し訳ないし、わたいも悲しい。それでさっき、亀吉のことを聞いてなあ……」

太一郎というのは仏壇仏具を扱う「高松屋」という店の跡取りで、袖とは許嫁の間柄である。伊平は亀吉を呼び、

「嬢やんがおまえに占うてもらいたいらしい」

「へ……？　なにをだす？」

「数珠をなくさはったのや。――嬢やんがその数珠を最後に見たのはいつだすか」

「三日ほどまえや」

「ちょうど旦さんが巻物を失くしはったのと同じころだすな」

「うん。お祖母ちゃんの月命日やったさかい、朝早うに仏間に入って、ひとりでお仏壇を拝んでたのや。そうしたらお母ちゃんが『お袖、ちょっと……』て居間から呼ぶ声が聞こえたから、お数珠を仏壇に置いて、数珠袋は帯に挟んで仏間を出たのや。担ぎの呉服屋さんが来てはって、帯やらいろんな反物を畳に広げてお母ちゃんに見せてはってな、わたいもついつい、この生地、色あいがええなあ、とか、それにはこっちの帯が合うのとちがうか、とか言うて、気がついたら半刻ほど経ってた。呉服屋さん

が帰らはったさかい、仏間に戻って、お仏壇から数珠を取って手にかけようと思たけど、数珠が見当たらん。びっくりしてあちこち探したけどどこにもないのや」

亀吉の顔がひきつっていることに袖は気づかなかった。

「あれを失くしたら太一郎さんにあいすまん。亀吉、あんたの夢占いでなんとか見つけ出してほしいのや」

「いや……それはその……」

「さあ、わたいの部屋に来て今から寝なはれ」

「なんで寝なあきまへんのや」

「夢は起きたまま見られへんやないか」

袖は亀吉の背中を押して部屋に連れていった。

「ちょ、ちょ、ちょっと待っとくなはれ。嬢やんのお部屋で、嬢やんのお布団で寝まんのか？　そんなことでけしまへん」

亀吉は真っ赤になってそう言った。

「ほたら、どこやったらええのや」

「わてが毎晩寝てる部屋で、丁稚用のお布団で寝させとくなはれ。それでないと寝れまへん」

「それと、横で見てられたら眠れまへんさかい、ひとりにしとくなはれや」

「ほな、好きにしぃ」

亀吉は奉公人が雑魚寝をしている寝所に閉じこもり、襖を閉め、布団を出して横になった。

「嬢やんのお祖母ちゃん」つまりこの店の主の母親の月命日に番頭から仏壇の掃除を命じられたのは亀吉なのである。言いつけられたのは朝一番だったが、実際にやったのはかなり遅かった。

(あのときわてが仏間に入ったのは、嬢やんが呉服屋さんと会うてるときやったんかな。けど……仏壇に数珠なんかなかったように思うけど……)

じつは亀吉は、かなりズルをした。本来、仏壇の掃除は、位牌や仏具を一旦全部外に出してそれぞれを拭き清め、仏壇の中をきれいにしたあとでそれらをまた戻す……というかなり面倒くさいことをしなければならないのだが、亀吉は位牌も仏具も出さずに場所をずらしながら仏壇のなかを拭き掃除しただけですませた。

(どうせ拭ったかて、すぐにまた埃は付くねん。おんなじこっちゃ……)

なんという合理的精神！

(えらいこっちゃ。どないしよ。ほんまは夢占いなんかでけへんのに……嬢やんがっかりするやろな……）

亀吉は天井の染みを見つめながらよい思案はないか、と考えていたが、なにも浮かばない。

（とにかくいっぺんお仏壇を見にいこ……）

亀吉は起き上がり、そっと襖を開いた。左右を見る。だれもいない。抜き足差し足で仏間に行く。仏間も無人のようだ。こそこそと入り込み、仏壇の扉を開く。

（やっぱり数珠なんてないなあ……）

仏壇のなかにあるなら袖が真っ先に見つけていることだろう。亀吉はため息をついたが、とりあえず位牌や仏具を全部出して、内部を調べることにした。

（あのときは邪魔くさかったから、火立ても花入れも香炉もおりんもちょっと持ち上げて横にずらして、その下をちょいちょいと拭いて、また戻しただけやったからな……）

しかし、やはり仏壇の内部に数珠が落ちているようなことはなかった。火立てや花入れの下にもなにもない。亀吉はいちいち仏具をひっくり返してみたが、無駄だった。ただ、大きな香炉はなかに灰が入っているのでひっくり返すわけにはいかぬ。持ち上げてみただけだったが、その下にはなにもなかった。

（あれ……？）

だが、香炉の下部から赤い糸のようなものが一本垂れさがっている。

（え？　まさか……！）

亀吉は思い切ってその大きな香炉を目よりも高く持ち上げてみた。

「あった……！」

香炉の底に片手数珠がくっついていた。内側にぴったりはまり込んでしまっていたので落ちてこず、袖も気づかなかったのだろう。

（ヤバっ……！）

亀吉は青ざめた。どうやら香炉を横にずらしたときに、袖の数珠のうえに置いてしまい、そのとき数珠が底にはまってしまったらしい。あわてて亀吉は数珠を引っ張り出そうとしたがうまくいかない。そのうちに香炉の灰がこぼれて畳に落ちた。泣きそうになりながらなんとか数珠を香炉から外し、あたりを掃除して、仏壇の引き出しに入れた。そして、ふたたび抜き足差し足で仏間を出ると大急ぎで寝所に戻り、布団に入った。

数珠が見つけられたことでホッとしたのか、亀吉はぐっすりと眠ってしまった。

「いつまでも丁稚を寝かしとくわけにもいきまへんからなあ」

伊平の声だ。

「けど、無理に起こして、どんな夢見てたか忘れられたら困るわ」

袖の声である。亀吉はむにゃむにゃ言いながらもう一度眠りに落ちかけたが、

（こんなことをしてる場合やない……）

そう思って両目をぱっちりと開けた。いつのまにか亀吉の布団のまえに伊平と袖が座ってこちらを見下ろしていた。

「嬢やんに番頭さん、お早うさん」

袖が真剣な顔で、

「もうお昼やけどな……で、どうやった？　夢は見れたんか？」

「へえ……見ました」

「どんな夢？」

「あの……あの……お仏壇のなかから白髪の上品なお祖母さんがひとり出てきはって、『そこの丁稚。丁稚や丁稚』とわてを手招きしますのや。『お祖母さんはどなただす？』『わしは、この店の主森右衛門の母親じゃ。孫娘が数珠を置いて仏間を出ていったさかい、物騒やと思て数珠はわしが預かってたのや。仏壇の引き出しに入れとくから取りにこさせなはれ。せやけど、孫もわしに似て別嬪（べっぴん）になったなあ。おほほほほ……』

……そんなことを言うたところで目が覚めました」

伊平が、

「ふーん……そのお祖母さんは痩せてはったか肥えてはったか、どっちゃやった」

「え？　それはその……痩せてるといえば痩せてる、肥えてるといえば肥えてる……」

「せやから、どっちかきいとんのや」

「肥えてはりました」

「ここの大御寮さんは痩せたお方やったで。それに、おほほほほ……みたいな笑い方やなかった。おまえ、嘘ついてるのとちがうやろな」

「あのね、番頭さん、夢のなかというのはそんなにしっかりとは見えまへんし、聞こえまへんのや」

袖が、

「伊平、まあ、そない責めたらんといて。せっかく亀吉が夢を見てくれたのやから、わたい、今から仏間に行ってくるわ。肝心なのは数珠が見つかる、ゆうことやさかい……」

そう言うと袖は出ていった。

「なんか怪しいなあ……」

伊平は聞えよがしにそう言ったが亀吉は知らんぷりをして横を向いた。しばらくすると䄂は跳ね飛ぶようにして戻ってくると、赤い房のついた数珠をふたりに見せた。

「あった！　引き出しに入ってた！　亀吉、おおきに。あんたとお祖母ちゃんのおかげや」

「嬢やんのお役に立てたならうれしゅうおます」

「けど……おかしいなあ。わたい、何べんも引き出しのなかは見たんやけど、そのときは入ってなかったように思うで」

「た、たぶん、大御寮さんが引き出しに数珠を入れはったのは、嬢やんが見たあとやったのとちがいますか」

「まあ、ええわ。亀吉、ほんまにおおきに。あんたの夢占いはすごいわ。助かりました。――これ、少ないけどお小遣いや」

䄂は亀吉に銭を渡すと、ホッとした顔つきで部屋を出ていった。伊平は疑いの眼差しを亀吉に向けていたが、いつまでもそうしているわけにはいかず、帳場に戻っていった。入れ替わりに入ってきたのが、下働きの杢兵衛という男だった。力仕事から植木の手入れ、薪割り、壁や天井の修繕……などなどちょっとした雑用ならたいがいこなす、いわゆる便利屋である。

「亀吉っとん、わしのキセル、探してんか」

「あのなあ杢兵衛どん、わてもそないに暇やないねん。お職人のとこ、回ってこなあかんし、その支度も今からするのや……」

「なんやと？　旦さんと嬢やんの失くしものは探して、わしのキセルは探せんゆうんか」

「そやないけど、なんぼなんでももう寝られへん」

「ケチ臭いこと言うな。パパッと寝て、夢見て、キセルのありかを言うてくれたらすむのやないか。あれは高かったんや。そや、酒でも飲んだら眠れるのとちがうか」

亀吉は、その場を逃げ出した。

そして、その晩、夕食のときのことである。寅吉が、亀吉の膳を見て大声を出した。

「うわあっ、どういうことや！」

丁稚や手代は、晩は冷や飯（もしくは茶漬け）に漬けものだけの献立が普通だったが、亀吉の膳にだけサバの切り身の塩焼きがついているではないか！　部屋中の視線が亀吉の膳に注がれる。給仕をしていたおもよが、

「旦さんが、今日は亀吉に助けられたさかい、一品増やしてやってくれ、ておっしゃ

ったのや」

鶴吉が、

「えーっ、そんなん亀吉っとんだけずっこいわ！」

梅吉が、

「そやそや！　ずっこいずっこい」

寅吉は皮目のこんがり焼けたサバを見つめて舌なめずりをすると、

「なあ、亀吉っとん。わてら丁稚同心隊は一心同体や。そのサバ、わてらにもわけてくれるわなあ」

「えっ……」

亀吉の身体が固まった。

「けど……夢占いしたのはわてやさかい……」

「そらそやけど、ひとりで食べるのは気づつないやろ。わてらが手伝うたるわ」

「いらんいらん！　これはわてのもんやーっ」

鶴吉が、

「そうか。丁稚同心隊の友情ゆうのはそんなもんやったんか。がっかりやわ」

番頭の伊平が、

「これっ、おまえら意地汚いこと言うもんやない。このおかずは旦さんが、亀吉のお手柄に対してつけてくれたご褒美や。亀吉ひとりに食わせてやりなはれ！」

「へーい」

皆はしぶしぶ、漬けものだけで冷や飯を食べた。亀吉がサバをひと口食べるたびに、全員が唾を飲み込む音が聞こえるようだった。

(なんであかんねん！　これはわてのもんや。わてのサバやーっ！)

亀吉はだれにも骨一本やらなかった。

翌日、丁稚仲間も手代たちも朝飯のあいだ中、亀吉とは口をきかなかった。昼まえ、受け持ちの職人に筆の材料を配り終えた亀吉は、弘法堂に戻ってきた。

そこへ弘法堂の近くに住む老婆がやってきた。

「あんたかいな、なんでも探し出す丁稚ゆうのは。うちのポチがこないだから急に見えんようになったのや。探してもらえるか。いつもは二日もしたら帰ってくるのに心配でなあ。ほな、すぐに頼むで」

職人風の若い男がどかどか入ってくると、

「『夢見丁稚の亀吉』ゆうのはおまえか」

「へ、へえ……」

「うちの嫁はん、どこにおるかすぐに占うてくれ。昨日の晩、おかずのことで大喧嘩して、『おまえみたいなやつ、顔も見とうない。出ていけっ！』て言うたら、ほんまに出ていきよったんや。あれは本心やない。おーい、お咲、帰ってきてくれー」

頭に頭巾をかぶった初老の男がやってきて、

「来年の米相場、上がるんか下がるんか。豊作かどうかも教えてくれるか」

身なりのいいどこかの御寮人が女中をひとり連れてきて、

「うちの旦那さまがどこかに妾を置いてるらしい。その女の居場所と名前、年、器量を占うとくれ」

「こら、順番や順番！」

「割り込むな！」

「なんやと！」

「こっちが先や」

「いや、こっちや」

亀吉は泣きそうになって、

「だれがわての噂を町内に広めてますのや」

「弘法堂の前垂れつけた丁稚が何人か、あちこちで言い触らしとったで。町内どころか大坂中に広まってるかもしれん。そのうち瓦版にも載るのとちがうか」

「あ、あいつらか……！」

番頭の伊平が皆のまえに出て、

「どうぞ皆さん、うちの丁稚にものを言いつけんようにしとくなはれ。今日のところは帰ってもらいまひょ」

「なんであかんの？　丁稚使うたかて減るもんやないやろ」

「うちの丁稚はうちの商いのために使うことになっとります。あんさん方にはお貸しでけまへん」

「ちょっとぐらいええやないの。そこに布団敷いて寝かしたらなんぞ夢見るやろ」

皆は亀吉の両手両脚を引っ張った。

「た、た、助けてーっ！　番頭さん！　寅吉！　鶴吉！　梅吉！　わてが悪かった！助けてくれーっ」

ほかの丁稚たちは大笑いしている。伊平が、

「年端も行かん子どもがこんなに嫌がってますのや。どうぞお帰りを！」

強い口調で言うと、皆はぶつぶつ言いながら帰っていった。亀吉は伊平に、

「すんまへんでした、番頭さん」

「そろそろ白状してもらおか。いったいなにがどうなってるのや」

「じつは……」

亀吉が涙目でそう言いかけたとき、

「亀吉……亀吉はいてますか！」

主の森右衛門が外から走り込んできた。伊平が、

「旦さん、お帰りやす。――今日は、玄斎先生と一緒に島之内の万福寺さんにご法話を聞きにいく、ゆうて出かけはったのやおまへんでしたか？」

玄斎先生というのは、森右衛門が懇意にしている医者である。たいへん腕がよく、いつも繁昌している。森右衛門にとっては碁仇でもあり、遊び仲間でもあった。

「それどころやないのや。玄斎さん、鷹を逃がしてしもてな……」

「鷹……？」

森右衛門の話によると、某大名家の次男で今は江戸に私邸を構える松平重次郎、俳名を紫根という人物がいる。大名の次男、三男などは他家に養子に行くか跡取りが

死ぬかせぬかぎり生涯部屋住みの身だが、十万石の大大名ともなると悠々自適である。その重次郎が此度、江戸から京大坂に旅行することとなった。身の回りの世話をする供侍や小姓数名を連れての気ままな旅であるが、重次郎は「鷹三郎」と名付けた一羽の鷹を飼い、溺愛しているという大の鷹好きで、「お鷹の殿さま」とあだ名されているほどだ。しかし、この旅行にも連れてきた鷹三郎が、途中で具合が悪くなってしまった。同行している鷹匠も熱心に手当てをしたし、一度は「獣医者」（農村で農耕馬や農耕牛、飼い鶏などの家畜を扱う専門の医者）に診せたがよくならない。ようよう大坂までたどりついたが、家来のひとりが、

「獣医者ではなく普通の医者に診せた方がよいのではないか」

と言い出した。重次郎も賛成し、名医を捜すと、その大名家の蔵屋敷に出入りしている玄斎の名が挙がったのだという。

「鷹三郎を助けてやってくれ！」

重次郎は玄斎に涙ながらに懇願した。とりあえずは引き受けたものの鷹を診たことなどない玄斎は途方に暮れながら、おそらくは長旅の疲れと人間の風邪がうつったせいではないかと見当をつけ、治療に当たることにした。蔵屋敷に旅装を解いている重次郎から籠に入った鷹を預かり、自宅へ連れて帰ろうとしたとき、

「逃げられてしもたらしい」

金網の一部が破損しており、ちょっと目を離した隙にそこから脱出したようだ。家来たちのまえで鷹三郎はたちまち空高く舞い上がると、そのまま姿を消してしまったという。

「それが昨日のことやそうや」

森右衛門はそう言った。

「『お鷹の殿さま』のご家来衆によると、もしこのことが重次郎に知れたら激昂して、玄斎さんはお手討ちになるやろ、と言うのや。町奉行所にも言うてみたのやが、『奉行所が鳥のことで動けるか！　たわけ！』てえらい叱られたそうな。――亀吉、なんとかしてくれ。例の夢占いでバーン！　と鷹三郎が今どこにおるか見つけてくれ。ひとひとりの命がかかってるのや」

亀吉は真っ青になって、

「いや……けど……その……旦さん、わて寝すぎてしもて、もう眠いことおまへんのや。まだお昼だっせ。たぶん今布団に横になっても寝られへんと思います」

「なに言うとんのや。一日中寝てたいぐらいや、て言うとったやないか」

「あのときはそう思たんだすけど、目ぇが冴えて冴えて……。それに、お昼のご膳はどないなりますのん？」

「そんなもんどうでもええやないか」

「ええことおまへん。ご膳食べさせとくなはれ！」

「ええから寝ろ。おなべ、わしの部屋に布団敷いてくれ。さあ、寝なはれ」

「堪忍（かんにん）しとくなはれー。もう寝られまへん！」

「目ぇつむってじっとしてたら眠うなる。――そや、わしが子守歌歌てやろ。ねーんねんころりーよー、おこーろーりーよー」

「やかましいて、かえって眠れまへん！」

「そ、そうか。それやったら『羊が一匹、羊が二匹……』て数えるのや」

「チクビ？」

「チクビやない、羊や」

「羊てなんだんねん」

「わしも知らんけど、西洋の家畜らしいわ。それを数えてたらだんだん眠うなってくると言われてる、てこのまえ蘭学者の先生に聞いたのや」

「そんな見たこともない獣、数えられまへん」

「ほな、ネズミにしとけ。『ネズミが一匹、ネズミが二匹……』」

「もうよろし！　みんな出ていっとくなはれ！」

「そ、そうか、ほな、出ていくわ。お休み」

「出ていくとき、そこの襖ぴしゃっと閉めとくなはれや。そうそう……お休みなさい」

　ひとりになった亀吉は布団のなかで震えていた。

（どないしよ……わてがあの巻物を返すときに素直に叱られてたらこんなことにならんかったのや……）

　目をつむり、

「ネズミが一匹、ネズミが二匹、ネズミが三匹……」

　途中で、キーッとなって目を開けた。考えてみたら、このままここで眠って夢を見たとしても、鷹のいどころは絶対にわからないのだ。亀吉は考えに考えたあとむっくりと起き上がり、部屋を出た。その表情は決然としていた。森右衛門が、

「おお、亀吉！　夢は見たのか」

「見てまへん。――今から町へ出て、鷹を捜しにいってきます。旦さんも店のみんなも手伝うとくなはれ」

「そんなこと言うたかて、この広い広い大坂を闇雲に探しても見つかるかいな」

「闇雲やおまへん。――寅吉っとん、鶴吉っとん、梅吉っとん、おやえちゃん……このとおり謝るさかいわてに力を貸してくれ」

頭を下げた亀吉に寅吉が、

「わてらも、サバのことがあったさかいちょっとからこうたのや。弘法堂丁稚同心隊の結束を見せよや！」

「おおきに！　旦さん、その玄斎先生のところにも人手がありまっしゃろ。そのひとらもここへ集まってもらえますか。あと、鷹を見かけたら知らせてほしい、わずかやけどお礼はします、もし、捕まえたら一両差し上げます、ゆう張り紙とかチラシをぎょうさん作っとくなはれ。頼んます」

森右衛門は、

「いや……捕まえたら五両にするわ。残りはわしが出す」

「五両！」

店のものたちが声をそろえた。おやえが、

「会所（自身番）にある火の見やぐらにだれかのぼって、空を見張ったらどやろ。あそこがこのあたりやと一番高みにあるさかい」

「その役目、わしが引き受けた」

　李兵衛がそう言ってあたふたと出ていった。こうして、弘法堂挙げての「お鷹捕獲作戦」がはじまった。丁稚、手代はもちろん、番頭たち、若旦那、主の森右衛門、出入りのものたちまで町に散っていった。最初は、「鷹を見かけたら知らせてほしい」というチラシを一枚ずつ手で書いていたのだが、とうてい間に合わない。亀吉は、

「そや、瓦版屋の生五郎さんに頼んで、刷ってもらお。それを瓦版売りのひとに手分けして撒いてもろたら手っ取り早いわ」

　亀吉は幸助の住む日暮らし長屋へと急いだ。

「ふーむ、鷹か。羽があるだけにむずかしいな」

「そうだすのや。けど……なんとかせんとお医者さんが殺されてしまいます」

「生五郎には俺から頼んでおいてやる。簡単な文章なら、四半刻もあれば刷り上がるだろう。そのころに取りにこい」

「へ」

「あとは……餌だな。餌でおびき寄せたらやってくるかもしれん」

「鷹の好物はなんだす？」

「山にいるときはノウサギやキジ、カモなどを捕らえていると思うが、町なかだとハトとかネズミとかイタチかな。そういう類を籠に入れて、あちこちに仕掛けておけ。

鳥網を張っておけばからめとることができる。これは『鷹打ち』というて鷹狩りに使う若い鷹を捕まえる方法なのだ」

「わかりました。いろいろおおきに。けど……ほんまに捕まるやろか」

「それはわからぬが、おまえたちが必死で走り回ったことは無駄にはならぬと思うぞ」

「そ、そうだすな。ほな、また来ます」

亀吉が店に戻ると、すでに大坂のあちこちから「鷹を見かけた」という報告が集まっていた。

「中之島のあたりをよう飛んでるみたいやな」

「堂島川の岸辺で休んでたから、網を構えてこっそり近づこうとしたけど、もうちょっとのところで逃げられた、ゆうひともいたわ」

しかし、なかなか「捕まえた」という報せは入ってこない。そろそろ四半刻が経過したので亀吉はふたたび幸助の長屋へと向かった。

（やっぱりあかんのかなあ……）

だんだん気分が沈んできた。足も重たくなる一方だ。だが、やれるだけのことはやらねばならない。

「こんにちはー」

いつもの「びんぼ神のおっさん、いてはりまっかーっ」の元気な声もなく、亀吉は幸助の家に入った。幸助は生五郎とともに座っていた。生五郎がチラシの束を亀吉に見せ、

「ほら、できてるで。えらい騒動やな」

「そうだすのや……」

亀吉がそう言いかけたとき、なにか黒いものが外から飛び込んできた。それは、一羽の大きな鷹だった。鷹はまっしぐらに部屋を横切ると、部屋の隅にうずくまっていたネズミに似た小動物に向かってものすごい勢いで突っ込んだ。ネズミに似た小動物は悲鳴を上げ、幸助はそれをかばうようにして座ったまま両手を広げた。鷹は幸助の腕や胸などを鋭い爪とくちばしで引っ掻いたりつついたりしはじめた。幸助は亀吉に、

「亀吉、戸を締めろ！」

亀吉は飛びつくようにして戸締まりをした。鷹は部屋のなかをぐるぐると飛び回りだした。バサバサという羽音が凄まじく響く。鷹はチラシの束、絵の道具や紙、作りかけの筆などをあたりにぶちまけてめちゃくちゃにした。さすがの幸助もどうすることもできない。生五郎と亀吉も頭を抱えて蒼ざめている。

鷹は一旦、かまどのうえに止まったが、ふたたびネズミに似た小動物を見つけたらしい。ビエーッ！　とひと鳴きすると、ふわりと飛び立ち、天井近くまで舞い上がると、そこから小動物目掛けて急降下した。しかし、小動物がなにやら鋭い叫びをあげると、突然おとなしくなり、幸助の肩に降りて、おとなしくなった。亀吉が小動物を見て、

「こ、こいつ、今、『ブレイモノ！』て言うたのとちがいますか……」

幸助は、

「ははは、そんな馬鹿な。悲鳴を上げたのがそう聞こえただけだろうよ」

「そ、そらそうだすやろな。せやけど、鷹がかっこん先生のところに来るやなんて……」

幸助は、家主の藤兵衛から屑籠を借り、そこに鷹を入れて、紙で上部を何重にも張ると、亀吉に渡した。鷹はもう暴れなかった。亀吉は何度も礼を言うと、屑籠を抱えて大急ぎで帰っていった。生五郎も出ていったあと、幸助はキチボウシに言った。

「危ないところだったな」

「なんの！　あのような鳥一羽、屁でもないわ。我輩の力は、ざっとこんなものぞよ。キシシシシ……」

老人の姿に戻ったキチボウシはそう言って笑った。幸助は無言でキチボウシのまえに湯呑みを置き、酒を注いだ。自分も飲みながら、

「なあ、キチボウシ……」

「なんじゃ」

「鷹がここに来たのは、おまえが『この家への災難』として招いてくれたからではないのか」

「買いかぶるな。我輩には災難を招く力はあれど、どのような災難か選ぶことはできぬのじゃ」

そう言ってキチボウシはにやりとした。

◇

捕まった鷹三郎は、玄斎の治療を受けて全快し、無事、「お鷹の殿さま」の手に戻された。亀吉は、店の皆の賞賛を浴びた。主の森右衛門は、

「すごいやないか、亀吉。ほんまに鷹を捕まえるとは……。それも夢占いに頼らんとなあ」

亀吉は頭を下げて、

「すんまへん、わて、みんなに嘘ついてましたんや。占いなんかでけしまへんねん。旦さんの巻物も嬢やんの数珠も……全部でたらめでおました」

「ははは……けど、こうしてちゃんと鷹を見つけてくれたのは大手柄や。ほうびに今日もサバの塩焼きをおかずにつけてやろ。もちろん……店全員にもな」

奉公人たちは大喜びした。伊平が、

「どや、亀吉、ずっとごろ寝して、夢見てても、なにも見つからん。探しものは、歩いて、走って、動いて探さなあかんのや。わかったか」

亀吉はうなずき、

「ようわかりました。早寝早起きします！　それと……今まではあっちを頭にして寝てましたけど、今夜からは逆さまにさせてもらいます」

「なんでや」

「こっち側にはかっこん先生の長屋がおます。今度のことでは先生にえらいお世話になりましたさかい、足を向けては眠れまへん」

もちろん翌朝、亀吉は寝坊した。

# 第六話

# 皿屋敷はどこにある？

筆問屋「弘法堂（こうぼうどう）」の丁稚（でっち）亀吉（かめきち）は、その日朝からてんてこまいの忙しさ（本人談）だった。京の小間物屋から化粧筆の大量発注があり、そのための材料を手配りするとともに、職人を確保する、という仕事に追われていたのだ。

「せやさかい、かっこん先生も絵の仕事は当分入れんようにしとくなはれ」

「わかった。というか、絵の仕事などめったにないから入れるもなにもない」

そう言って葛幸助（かっこうすけ）は大欠伸（おおあくび）をした。

「ああ忙し、ああ、忙し」

と言いながら出ていこうとした亀吉は、床に置かれていた一枚の絵に目をとめた。井戸から何枚もの皿を持った若い女の幽霊が現れようとしている、という絵柄だ。

「これはなんでおます？」

「知らんのか。『皿屋敷』だ」

妖怪や幽霊の絵が大好物で、自分もさまざまな妖怪を考え出しては生五郎の「妖怪図鑑」に提供しているほどの亀吉だが、

「皿屋敷……ゆうのは聞いたことがおまへん。そういう妖怪がいてまんのか」

「なんだ、知らんのか。皿屋敷というのは屋敷の名前だ」

「なんでまた、そんな名前が……」

「播州播磨の城下に……おい、急いでいるのではなかったか」

「急いでます。急いでまんねんけど……妖怪好きとしてはその皿屋敷のこと聞かでは帰れまへんがな。ばばばばっと手短に教えとくなはれ」

「教えるのはよいが……怖い話だぞ」

「へへへ……この亀吉、ちょっとやそっとの怖い話ではビビりまへんで」

「ならば話してやろう。——播州播磨の城下に青山鉄山という代官が住んでいた。鉄山は腰元のお菊という女に執心していろいろとくどいたがどうしても首を縦に振らぬ。こうなると鉄山は、お菊をひどい目にあわせてやろうという気になったのだ」

「ようある話だすな。可愛さ余って憎さが百倍、ゆうやっちゃ」

「生意気なことを言うな。鉄山はあるとき、家伝の宝物で十枚ひと組の皿をお菊に渡して、戦場で手柄をたてたほうびとして将軍家より青山家の先祖が拝領した大事の品、

もしものことがあったなら鉄山腹を切らねばならぬが、これをそなたに預けおくゆえ、けっして粗相のないように、と言葉を添えた。お菊は驚いて、そのような家宝を腰元風情に、とは思ったが、命じられるがまま、部屋に持ち帰った。鉄山はお菊がいないときに、そのなかからひそかに一枚の皿を抜き取ったのだ」

「わ、悪いやつやなあ……」

「そして、先日預けた皿を持ってまいれ、と言いつけた。お菊は言われた通りに皿を部屋から鉄山のところへ運んだが……一枚足らぬ。お菊が『一枚、二枚、三枚……』と何度数え直しても九枚しかない」

「うわあ……えらいこっちゃ……」

「青山鉄山はお菊に、そなたはこの青山の家になんぞの遺恨があり、もしものことがあったらわしが腹を切らねばならぬ、と聞いてわざと皿を隠したにちがいない、皿はどこにある、きりきり申せ、と怒鳴りつける。お菊は、身に覚えがございませぬ、どうか今ひとたび皿の数をお検めを……と抗弁したが、頭に血がのぼっている鉄山が許すはずがない。おのれ、まだ申すか、と井戸のなかに吊るして、水に浸けたり上げたりを繰り返したあげく、太い弓の折れで責め折檻。お菊は、盗みの汚名が悲しゅうございます、身の潔白をたてるため、なにとぞ今一度、皿の数を……というのを、すらりと長いのを抜いた鉄山、ズバッと……」

「ひええええっ……！」

亀吉は悲鳴を上げた。

「なんだ、だらしない。ちょっとやそっとの怖い話では平気ではなかったのか」

「いやー、この話、ほんまに怖いわ。それからどうなりました？」

「聞きたいか」

「ここまで聞いたら全部聞かんと、今晩寝られまへん」

「後悔しても知らぬぞ。――鉄山はお菊を袈裟懸けにしたあと、井戸のなかに放り込み、これで腹の虫が癒えた、と酒をあおって寝てしまった。その日の深夜、井戸のなかから火の玉がひとつ現れて、鉄山の部屋を訪れた。鉄山は、首を絞められているような苦しさに目を覚ましたが、そこにお菊が立っている。迷うて出たか、と刀で斬りつけたが、だれもいない。厠に入るとそこにもお菊の姿、廊下にもお菊の姿、部屋にもお菊の姿……青山鉄山はそのまま死んでしまった」

「怖ーっ、怖ーっ、怖ーっ！　もうええわ。充分や。ほな、わては帰ります」

「うるさいやつだな。話はまだ終わっていないぞ」

「ええっ？」

「お菊の亡霊はいまだにその井戸から出てくるらしい。お菊が皿の数を数える声を聞くと、震えついて死んでしまうというぞ。――おまえはお菊虫という虫を知っているか」

「へえ……みかんの木とかに付く……」

「髪が長く、手が後ろ手でくくられたようになっているだろう。あれもお菊の妄念が凝ったせいだそうだ」

亀吉は青い顔で立ち上がると、

「聞かんかったらよかった……。けど、播州播磨ゆうたら大坂からけっこう遠いさかい、お菊の幽霊もここまでは来まへんやろ」

「井戸はどこにでもある。おまえの店にもあるだろう。水を汲むときに気を付けることだな」

「ひえええっ、今日から夜中に井戸のそばに寄れん。おしっこ行くときどないしよ……。――あ、ほんまに長居してしもた。ほな、ほんまに帰ります。仕事の件、よろしゅうお願いします」

亀吉は矢のように福島羅漢まえの長屋を飛び出した。亀吉は自分が担当している筆職人たちの腕、仕事の速さなどをすべて把握していた。だから、このひとにはこれぐらいの仕事を頼むと、何日ぐらいで、どれぐらいの品質のものができあがるかがわかっている。それをそれぞれの職人に割り当てるのも亀吉の役割であった。それにしても怖い話や

「ああ、忙しいのにかっこん先生のところで油売ってしもた。それにしても怖い話やったなあ……」

つぎに向かうのは曽根崎村である。

（あー、腹減った。朝のご膳、もっと詰め込んだらよかった。あと二杯は食べれたのとちがうか……）

そんなことを思いながら表通りを小走りに歩く。質屋の角を曲がろうとしたところで向こうから来たなにかが思い切りぶつかってきた。亀吉はくらくらしたが、なんとか踏みとどまった。

「痛いっ……！」

まだ三歳ほどの女の子が尻もちを突いている。

「あ、ごめん……」

女の子の手を取って引き起こそうとした亀吉に、

「妹に触るな！」

女の子のうしろから声がかかった。見ると、武家らしき少年が顔を真っ赤にしてこ

ちらをにらんでいる。年齢は亀吉より少し下ぐらいだろう。少年は亀吉の手を払うと、自分が女の子の手をつかみ、

「るい、怪我はないか」

女の子は目に涙をためてうなずいた。少年は亀吉に向き直り、

「いきなりぶつかるとは無礼であろう。妹に謝れ！」

「え……？」

亀吉はカチンときた。

「この子、おまえの妹か？　この子の方からぶつかってきたんや。それに、わては『ごめん』て言うたで。ぶつかったのはお互いさまやろ。そっちも謝らんかい」

「武士が町人に頭を下げるなどできようはずがない。笑止千万だ」

るいと呼ばれた女の子は、

「けど、私もまえを見てませんでしたから……」

「るい、このものの風体（ふうてい）を見よ。商家の丁稚ではないか。そのような相手に武士がどうして謝る必要がある。毅然（きぜん）としておればよいのだ」

「でも……」

いつもは穏（おだ）やかな性格の亀吉だが、さすがにブチ切れた。

「おい……言うとくけどな、悪い方が謝るのが道理やろ。丁稚も侍も関係あるかい。おんなじ人間やないか。それともなにか、身分が高かったら身分の低いもんに迷惑かけてもええのか」

　少年はぐっと詰まったようだ。妹が、

「兄上さま、私、このお方に謝ります」

「いや……おまえはなにもするな。それがしが謝る」

　少年は妹をかばうようにまえに出て、

「悪かったな。もう行ってよいぞ」

「なんやとー？　それが謝るときの口の利き方か！」

「ごちゃごちゃうるさいやつだな。では、どうすればよいのだ」

「ごめんなさい、私が悪うございました、申しわけない、すんまへんでした……とにかくこっちに気持ちが伝わるように謝らんかい。それに、おまえやない、妹が謝るのがほんまやろ」

　少年がなにか言うより早く、妹のるいがぺこりと頭を下げ、

「私が悪うございました。まえをよく見てなかったのです。痛い思いをさせてすみませんでした」

亀吉は、

「あ……いや……痛い思いはおたがいさまやがな。わての方こそ悪かった」

「これで堪忍してくださいますか、丁稚さま」

「もちろんや。もう、なんにも怒ってないで」

「ああ、よかった。では、どうぞご無事でお帰りくださいませ、丁稚さま」

「その『丁稚さま』はやめてんか」

「では、どうお呼びすればよろしゅうございますか」

「わては亀吉ゆうねん。亀吉さんでええわ」

「私はるい、ここにいるのは兄の徳太郎でございます。今後とも幾久しくよろしきお引き立て賜りますようお願い申し上げます」

「あははは……また会うたらそのときはよろしゅうに」

徳太郎という少年は真剣にそのやりとりを聞いていたが、

「亀吉殿、それがしも謝ります。丁稚だから、と馬鹿にした言い方になったのは本当に申し訳なかった。それに、ひとに身分のちがいはない、侍だからといってえらくはないし、町人だからといって下に見てはならぬ、と母上からもつねに教わっていたのを忘れ、妹を守ろうとするあまり、つい間違ったことを言うてしまいました。許してくだされ」

そう言って深々と頭をさげた。

「ええねん、ええねん。おまえはぶつかった当人やないさかい、そこまで謝らんでもええ。――ほな、徳太郎くんとるいちゃん、わてはお使いの途中やさかいお店へ去ぬわ」

るいが徳太郎に、

「兄上、私たちも早く母上を探さないと……」

「おお、そうであった。――では、亀吉殿、これで失礼いたす。くれぐれも道中どうぞお気を付けて」

大げさな物言いに亀吉はなんとなくほっこりしてその場を離れた。しばらく行ったところで後ろから、

「なに？　金をよこせとな？」

徳太郎の声が聞こえた。亀吉が振り返ると、三十歳ぐらいの男が徳太郎にかぶさるように立っている。酔っているのか、目の縁が赤い。身体が大きく、いかつい風貌の男は徳太郎にぐいと顔を近づけ、

「わし、今さっき博打ですってしもて、一文なしのからっけつなんや。このままでは

明日の仕入れがでけへん。かわいそうやろ。助けると思てなんぼかめぐんでくれ」

「博打はよくないことだし、うまくいくかどうかは時の運。それを承知のうえで手を出し、すってしまったのだから、自業自得ではないか。失った金を他人にねだるのはおかしかろう」

「ガキのくせに理屈を抜かすな。おとなが金出せて言うとんのやさかい黙って出したらええんじゃ」

「金はない」

「嘘つけ。身なりからして身分の高い侍の子どもやろ。金持ってないはずがない。有り金全部出せや」

「用人の許しを得ずに屋敷を出てまいったゆえ、持ち合わせがないのだ」

「ちっ……それやったら腰につけてる印籠(いんろう)、それをよこせ。ええ値(ね)で売れそうや」

「これは亡き祖父の形見の大事な品。渡すわけにはいかぬ」

「隣におる女の子がどうなってもええのか」

「なに……？」

男は腕を伸ばしてるいの胸ぐらをつかみ、身体を持ち上げた。

「るいになにをする！」

「妹の顔に傷つけられとうなかったら印籠を……」

　そこまで聞いたとき、亀吉は走り出していた。そして、無言で男の背中に頭突きをかました。

「な、なんじゃ、こいつ……！」

　男は驚いて、るいを持ち上げたまま亀吉に向き直った。

「おるいちゃんを放さんかい！」

「妙なガキがひとり増えたな。——おまえ、どこの丁稚かしらんけど、得意先回りの最中やったら集金してきた金持ってるやろ。それをこっちに……」

　亀吉は、伸ばしてきた男の手に噛みついた。

「ぎゃおう！」

　男は吠え、るいを放した。徳太郎は、男に飛びかかり、むこうずねを両脚とも思い切り蹴飛(けと)ばした。男が膝を突いたとき、亀吉はその背中に乗って、何度も跳びはねた。

「うぎゃあ……うぎゃあ……痛いっ……息ができん……やめてくれっ」

　そのうちに男は泡を吹いて気を失ってしまった。

「今や、逃げるんや！」

　亀吉は、ふたりとともに必死で走った。大江橋(おおえばし)を渡ったあたりで、

「もうええやろ……」

三人は橋のたもとに座り込んだ。みんな、大汗をかいている。徳太郎が、

「亀吉殿は勇気あるあっぱれの豪傑。それがし、感激つかまつりました」

しかし、突然、恐怖が押し寄せてきて、亀吉は泣き出してしまった。

「亀吉殿、いかがなされた」

「こ、怖かったよう……」

しゃくりあげる亀吉のまえに徳太郎がいきなり両手を突いて、

「亀吉殿……！」

「な、なんや、どないしたんや」

「身を挺して、るいを悪漢の手から助けてくださってありがとうございました。亀吉殿がいてくださらなかったら、我々は殺されていたかもしれませぬ。我ら兄妹にとって亀吉殿は命の恩人でござる。本日より亀吉殿に家来として仕え、恩返しにつとめたいと存じまする。以後よろしゅうお願いいたす」

「アホなことを……丁稚が侍を家来にできるかいな。それに毎日お店に来られたら仕事にならん。やめてんか。それに、こんな往来の真ん中で土下座されるのも迷惑や。さっきのは咄嗟にやったことやさかい、恩返しなんかせんでええねん」

「しかし、母上には常々、受けた恩を返さぬのは武士にあるまじき振る舞いである、と言われております。もし、恩返しせずに帰ったら我々が母上に叱られます」

「固いなあ……固い！　もっと軽う……その……『助けてもろておおきに。——ほな、さいなら！』ぐらいの感じでええねん」

「そうはまいりませぬ。我ら忘恩の徒にはなりとうござらぬ。ぜひとも恩返しを……」

「鶴やないねんから、そないに恩返し恩返し言わんかてええ。それに……さっき『母上を探す』とか言うてたのとちがうか。お母さんとはぐれたのやったら探しにいった方がええで」

「いえ……はぐれたのではなく、母上がどこにいるのかをつきとめたいと思って、ふたりでひそかに跡をつけていたのですが、見失ってしまいました」

「どういうこっちゃ」

「じつは……」

　徳太郎はなにかを話しだそうとしたが、

「申し訳ない。もしかすると家の恥になることかもしれぬゆえ、今は申し上げられませぬ」

「そうか……」

ちょっと興味を引かれていた亀吉は内心がっかりしたが、考えてみたら、そんな話をのんびり聞いている場合でなかった。めちゃくちゃ急いでいたのだ。また、番頭さんに叱られる……。

「わては弘法堂ゆう筆問屋の丁稚やねん。なにかあったらいつでも訪ねてきてや」

「ありがとうございます」

亀吉は兄貴風を吹かせると、つぎの目的地へと駆け出した。途中で振り返ると、ふたりはいつまでも頭を下げていた。

◇

夕暮れの堂島川（どうじまがわ）が金波を輝かせている川沿いを葛幸助は足早に歩いていた。幸助はあまり堂島や中之島界隈（なかのしまかいわい）には近づかない。日本中の大名家の蔵屋敷が所せましと並ぶこの界隈には、幸助の知り合いがいないとはかぎらないからだ。もう、あのころのことを思い出したくはなかった。かつての嫌な記憶を掘り返されるのもごめんだった。

しかし、今日は江戸堀町（えどぼりまち）にある絵の具屋を訪ねた帰りなのでやむをえなかった。

「おーい、葛……葛幸助ではないか!」

呼びかけられて、幸助はぎくりとした。古い知り合い以外に彼のことをそう呼ぶものはいない。大坂に出てきてからの知人ならば、葛先生、かっこん先生、葛鯤堂さん、貧乏神などと呼ぶはずだ。おそるおそる振り返った幸助の目に入ったのは橋のうえからにこやかに手を振っている武士だった。顔は将棋の駒を逆さにしたような形をしている。ひと目見たら忘れられない面相だ。

「おお……近石風太郎か」

幸助はほっとした。近石は、かつて同じ大名家に仕えていた同僚であった。幸助は絵師として、近石は勘定方として代々務めてきた。武士とも町人ともいいにくい「絵師」という特殊な立場もあり、生来の付き合い下手もあって、同年代の若侍たちともほとんど交流しなかった幸助だったが、近石とだけはなぜか馬が合い、ときどき飲みにいったり、青い議論を交わしたりもした。近石風太郎は、幸助のようにうじうじしたところがなく、からりと明るい性格で、腹のなかにはなにもない男だった。そこが幸助の気に入ったのだ。

幸助が父の跡を継いでお抱え絵師となったときは祝ってもくれたが、その後、幸助が殿さまを怒らせてクビを言い渡され、家名が断絶してからは疎遠になった。近石は

苔むした石段を降りてくると、

「大坂にいる、とは聞いていたが、なぜに蔵屋敷を訪ねてこぬ。ここで会うたが百年目だ。今宵は逃がしはせぬぞ」

そう言って、盃を上げる仕草をした。幸助は、

「こちらから蔵屋敷を訪ねるわけがなかろう。俺は主家をしくじり、葛家は取り潰されたのだ。向こうも俺に近づいてほしくなかろうし、俺も殿やお歴々の顔は二度と見たくない。蔵屋敷のまえも通りたくはないのだ」

「そうか……そうだろうな。気持ちはわかる。──絵師としての仕事は続けておるのか」

「なんとかな。内職をしながら細々と続けている。今も、絵の具を買ってきたところだが、まるでもうからぬ」

「それはおぬしの風体を見ればわかる。つぎはぎだらけではないか」

こういうことを言い合える仲なのである。幸助は、

「なるほど、そうだったな。──おまえの方はどうだ？」

「だっはっはっ……あいかわらずだ。すまじきものは宮仕え……殿やご家老、お目付け衆の機嫌を取りながら暮らす日々だ。しかし、三年ほどまえ蔵屋敷の役人とし

て大坂に赴任することになり、それも留守居役頭としてやや広い住まいを拝領して、用人や中間小者を使う身となった。家内とふたりの子どもも国もとより呼び寄せ、一緒に住んでおる」

「ほほう、羽振りがよいのう」

「とんでもない。蔵役人というてもたかが勤番侍。奉公人に支払う給金などを考えると、国許にいたときの方がまだふところにゆとりがあった。今はきゅうきゅうだ。家内にも苦労をかけておることだと思う」

それは本当だろう、と幸助は思った。勤番侍の俸禄などたかがしれている。どこの大名家も金がなく、家臣に与えるべき扶持米を減らしたり、支給を遅らせているところもあるらしい。

「どうだ、家内のはつもおまえの顔を久しぶりに見たいはずだ。節を曲げて、ちょっと寄らぬか」

「いや……やめておこう。蔵屋敷には俺の見知りもいるだろう」

「うーむ、そうだな……。何人か、おる」

「どうして家中を追われたはずのあいつが来ているのだ、などと陰口を叩かれるのもかなわぬ。俺は身なりを気にせぬたちだが、そやつらのなかにはかかる尾羽打ち枯らした姿を見て、あざけるものもいるだろう。またにしておくよ」

「そうか。それではしかたがない。と申して、俺たちがおまえのところに行く、というわけにもいかぬからな……」

　蔵屋敷の蔵役人にしても、大坂城代、定番、加番などの家来たちにしても、地方から大坂に来ている侍たちは、そう自由に外出できるわけではなかった。かならず居場所は明らかにしておかねばならなかったし、外出に当たっては上役に届け、許可を受けねばならなかった。

「そうか。俺は気楽なもんだ。暇な日は朝から飲んで、ごろごろしておる。だれにも指図を受けぬ身の上だ。出かけるときに、隣の糊屋の婆さんに留守を頼むぐらいか。ただし、金はないし、ものを食わぬこともしょっちゅうあり、かくのごとく痩せこけてはいるが、自由とは引き換えにできぬ」

　近石はうらやましそうな顔になった。

「わしには家族がいる。勝手なことはできぬ。ときには重荷に思うときもあるが、よいものだと思うときもある。まあ……ようわからぬ」

「ははは……。なんだそれは」

　幸助は、まるで若いころに戻ったような気になり、屈託なく笑った。しかし、近石は顔をしかめた。

「ひとつ困ったことがあってな……」

「なんだ」

「近々、殿がおいでになる」

「——なに？」

「参勤交代の途中で、蔵屋敷に一泊することになった。今、その支度でおおわらわなのだ」

「おぬしが責任者か」

「まあ……そういうことだ」

「それはたいへんだな」

参勤交代は、領主が国もとと江戸を二年に一度移動する制度である。もちろん領主だけではない。大勢の家来たちや諸道具も移動するのだ。石高にもよるが、大大名になると四千人もの家来、足軽、人足、小者などが付き従った。費用も莫大だが、それだけの人数を泊めるための宿を毎日手配しなくてはならない。だんどりをするものはたいへんである。しくじりがあったら、幸助のように家を取り潰されるか、下手をすると腹を切らねばならなくなる。なにしろ、一日遅延すればそれだけで何万両という損失になるのだ。日程は絶対に守らねばならぬ。海路をほぼ使わぬのもそのためである。天候次第では何日も船が出せなかったり、遭難の危険性もある。

また、長い道中、殿さまの健康を維持するのも重要である。早朝から夕刻まで来る日も来る日も殿さまは駕籠に揺られ、苛立ちと疲労は極限に達している。せめて宿では手足を伸ばし、くつろいでもらう必要がある。

幸助は何度か参勤交代に随行した経験があるので、そのたいへんさは身をもって知っている。道中の名所旧跡の絵を描くよう殿さまに命じられたのだが、立ち止まって写生をしようにも行列はどんどん行ってしまう。あとで追いつこうとして途中で道に迷い、山のなかで一泊したこともあった。また、雨が降ろうと風が吹こうと日程は変えられないので、とくに雨中の旅は身体にこたえる。土砂降りのなかを槍持ちが踊るように槍を振りたてているのを見ていると、

（なんという無駄なことをするのか……）

と思ったものだ。しかし、それは徳川家から各大名家に押し付けられた義務であり（石高によって供侍は何人、足軽は何人……などと決められていた）、借金をしてでもその義務を守ることが大名家側の見栄でもあった。大名本人も周囲のものもつらいことばかりの参勤交代だが、大坂を通る行程の場合、本陣ではなく蔵屋敷に泊まること

がある。蔵屋敷は、おのれの領地のようなものだから本陣よりもくつろげる。だから、蔵屋敷の責任者である留守居役は、

「旅の疲れをじゅうぶんに取っていただくようなもてなしをするように」

と家老などから厳命されることになる。なんのことはない、一日だけ責任を蔵屋敷留守居役に押し付け、自分たちが役目から解放されたいのだ。もちろんすべての同行者を蔵屋敷に泊めるわけにはいかないので、ほとんどは旅籠や寺などに分散して宿泊することになる。

「殿はおぬしも知っておるとおり気難しい。ちょっとしたことでつむじを曲げ、ものを投げつけたり、部屋から出ていってしまったりする。珍しき能、狂言、軽業(かるわざ)などをご覧いただくことも考えたが、お気に召すとはかぎらぬ。逆にお叱(しか)りを受けるかもしれぬ」

「そうだな……」

幸助も腕組みをしてしばらく考えていたが、ふと先日の大茶会のことを思い出した。

「あの御仁(ごじん)は茶事(ちゃじ)好きだったたな」

「そうそう、茶も好きだが、たいへんな食道楽ゆえ、茶事の際に出る懐石料理を食するのも好きなのだ」

「大坂は日本中の珍味、佳肴、銘酒の集まるところだ。どこを見物させるより、美味いものを食わせてやるのが一番ではないか。しかも、いっぱしに風流人を気取っていて、茶の湯や古道具を好む。わかっているのかわかっていないのかは知らぬが、高い金を出して名高い陶工の作った茶碗や皿を購う。絵もそうだ。絵の善し悪しではなく、絵師の名前で買うか買わぬかを決める。軽業などよりも茶席をもうけたらどうかな」

「それはよき助言だ。じつは近頃、『枯柳庵』という茶人が京大坂の数寄者のあいだで評判になっておるらしく、殿がぜひ一度茶を点ててもらいたい、とおっしゃっておいでだが、わしが小耳に挟んだところでは、その枯柳庵は今、大坂のどこかにいるらしい」

「そういえばおまえのところに『十牛図』の皿があるだろう」

「おお、あるとも。おぬしの父上が、殿のために描いたものだ」

幸助の父葛鯉井は狩野派の有名な絵師である。十年以上まえに亡くなったこともあり、今、その作品の値打ちは上がり、価格も高騰しており、古道具屋や書画屋のあいだではたいへんな高値で取り引きされている、という。近石は、

「あれは、飢饉が起きて飢えた民百姓が一揆を起こさんとしたるとき、家老たちの反対を押し切って、わしの父が城の備蓄米を放出した。切腹覚悟の行いだったが、結果、

一揆は未然に防がれ、殿は名君として評判も上がり、将軍家からもおほめの言葉をいただいた。その手柄への褒美として殿から父がちょうだいしたのだが、殿は皿を一枚一枚おんみずから紙に包み、桐の箱に入れて、『この絵皿は余にとっても貴重なものだが、その方の忠義に報いるため、格別をもって与えるのじゃ。それゆえ、軽々しくなかを見てはならぬぞ』とおっしゃったそうだ。それゆえじつはわしもまだ一度も見たことがない」

「たかがうちの親父の絵にたいそうな箔をつけたものだな」

「ははは……おぬしの父上はおまえが思うておるよりずっとえらかった、ということだ。絵皿は今、国表の実家にはだれもおらぬゆえ、こちらに持ってきた」

「ならばちょうどよい。殿が蔵屋敷に泊まる日に茶事を催し、懐石に十牛図の皿を使うのだ。そして、最後にその枯柳庵に茶を点ててもらう、というのはどうだ。茶の湯というのは禅にも深いかかわりがあると聞く。十牛図の皿ならぴったりだと思うが……」

「なるほど……」

「まずは、あの御仁のまえに絵皿を並べて久々に鑑賞してもろうたうえで、一旦皿を下げ、そこに料理を盛りつけて出せばよい。もったいぶったやり方が好きなあの御仁のことだから喜ぶのではないか」

　近石はぴしゃりと膝を打ち、

「これはよい知恵を出してもろうた。十牛図を鑑賞し、美味い料理を食べ、枯柳庵の茶で締めくくる……これ以上の贅沢はない。殿も間違いなくお喜びになられよう。さすがわが友、葛幸助だ」

「おだてるな」

「さっそくこの儀についてご重役方に申し上げて許しをいただこう。枯柳庵殿の住まいを探さねばならぬし、懐石の手配もせねばならぬ……。――わしは明日の朝国許に向けて出立しよう」

　大坂から近石が仕官している某大名家までは五日ほどの道のりだ。

「ははは……急に忙しくなったようだな。では、いずれまた。蔵屋敷以外の場所でなら会うてもかまわぬぞ」

「わかった。念のため、おぬしの棲み処（すみか）を聞いておこう」

　幸助は「日暮らし長屋」の場所を伝えた。

「なんだ、ここから近いではないか」

「ぼろぼろの長屋でな、お留守居役さまが足を踏み入れるようなところではない」

「馬鹿め。わしがそのようなことを気にすると思うてか。少なくとも親友の住まいを馬鹿にする気持ちなどない」

近石は顔を真っ赤にしてそう言った。

「わかったわかった」

幸助は閉口したが、彼が近石を好きなのはまさにこういう一本気なところだった。

近石と別れ、歩き出した幸助は、父親の描いた「十牛図」のことを思い出していた。唐皿に一色で描いたもので、絵柄もだいたい覚えていた。というのは、描いているのを横で見ていたからである。

十牛図というのは、禅における「悟り」を表した十枚の絵である。いなくなった牛（仏性）を牛飼い（自分）が探すという行為が描かれているが、それは、「真の自己」を見つけることへの解答を寓意的に表したものだ。仏性は生れながらにしてどんな人間にも備わっているものだが、ほとんどの修行者はそのことに気づかず、自分の外にそれを探そうとする。しかし、仏性はおのれのなかにあるのだ、という真理に到達する道を、いなくなった牛を探すことにたとえて大衆に示したものである。

（俺も描いてみたいものだ……）

そんなことを思いながら幸助は足早に長屋へと向かった。すでにあたりは暗くなっており、月が出ている。幸助は、途中の乾物屋でするめを買い求めた。じつは、ある造り酒屋の看板を描いた礼に樽酒をもらったのだが、

「俺が帰るまで飲んではならんぞ」

と出がけにキチボウシに釘を刺しておいたのだ。

（早く帰らぬとまた文句を言われる……）

　長屋のすぐ近くに小さな池がある。その岸辺にひとりの大男がしゃがみこんでいる。年齢は四十歳ぐらいか。無精ひげをぼうぼうに生やしている。剃っていた髪がやや伸びてきたところらしく、手入れしていないのでなんとも汚らしい。衣服もいわゆる僧衣だが、幸助の着物を上回るほどの破れ具合で、まるで雑巾をまとっているようだ。なにが入っているのか、大きな頭陀袋をかたわらに置いている。

　男は右手を伸ばし、水に手を突っ込んではすくい上げている。なにかをつかもうとしているようだ。

（魚でもとろうというのか……？）

　男は熱心に何度も同じ動作を繰り返しているが、手のなかには水しかない。そして、指のあいだからこぼれていく水を見ては、ニタアッと笑うのだ。幸助が横を行き過ぎたとき、大きな水音がした。振り返ると、男は池のなかに落ちていた。足を滑らせた

らしい。男は両手を振り回して、

「わははは……わしは泳げんのだ！」

その顔はニタニタと笑っている。幸助はしかたなく、男を引っ張り上げた。ずぶぬれになった男はその場に座り込んだ。ものすごく酒臭い。

「命を助けてやったのだから礼ぐらい言ったらどうだ」

「なぜ礼を言わねばならぬ。わしは『泳げんのだ』とは言うたが、助けてくれとは言うてはおらぬ。おまえが勝手に助けたのだ」

なるほど、理屈は通っている。

「なにをしていたのだ」

「月を取っておった」

「はあ……？」

「池をのぞきこむと月が浮かんでいる。天から落ちてしまったのだと思い、戻してやることにした。だが、なんどしゃくってもうまくいかぬ。どうしたことだ、と天を見ると、なんともうひとりでに帰っているではないか。そう思ったときに池に落ちた」

「月は、落ちてはおらぬ。池の水面に映っているだけだ」

「おまえが言うたとおりかもしれぬし、わしが言うたことが当たっているかもしれぬ。

ものごとの答はひとつではない」

　これも一応筋が通っている。禅の公案に「猿猴捉月（えんこうそくげつ）」というのがあることを幸助も知っていた。禅画の画題になっているからだ。多くの猿を率いる大将猿が、水のなかに月が落ちているから助けてやろう、と言い出し、岸辺の樹の枝から順々に手をつないでいって月をすくい上げんとしたが、枝が折れて皆溺（おぼ）れて死んでしまった、という故事で、身の程を知れ、という寓意が込められているらしい。幸助は教訓が含められた絵や文章はあまり好きではなかったが、以前は禅画を描くよう求められることもときどきあった。

　大男は頭陀袋を持って立ち上がると、

「おまえの家はどこだ」

「すぐ近くだが……」

「では、そこに行こう」

「なんのために？」

「水に濡れた着物を乾かしたい。なあに、酒でも飲んでいるあいだにすぐに乾くだろう」

「だれが酒を飲ますと言った」

「酒はないのか」

「いや……ある」

「あるなら飲んでもよかろう。持っているものが持っていないものに分け与えるのは当然のことだ。それともおまえは、ずぶ濡れで身体の冷え切った男が裸で震えておるというのに酒を飲まさぬほど薄情なのか」

「わかったわかった。ついてこい」

ふたりは幸助の長屋に向かった。家に入ると、老人姿のキチボウシは待ちかねたように、酒樽のうえにあぐらをかいて座っていたが、男を見咎めて舌打ちするとネズミに似た小動物に変じた。男は土間で着物を脱いだ。下帯まで脱いで、すっぽんぽんになると、僧衣と下帯を天井近くに張られた紐にひっかけた。幸助はその下に火を入れたカンテキを置いた。男は足も拭かずに勝手に上がり込むと、

「おお、樽酒とは豪儀ではないか。さっそくいただこう」

約束したのだからやむをえぬ。幸助が湯吞みをふたつ出して、ひとつを男のまえに置こうとすると、

「いや、茶碗ならある」

男は頭陀袋のなかから茶碗をひとつ摑み出した。湯吞みよりもはるかに大きい。

「お、おい、でかい茶碗だな」

「これは『楽(らく)』だ」

「そんなものでがぶがぶ飲まれたらあっという間になくなってしまう」

「心配するな。がぶがぶとは飲まぬ。がぶ、ぐらいのものだ」

それは嘘だった。男は頭陀袋からひしゃくを取り出し、それで酒を茶碗に注(そそ)いで、がぶがぶがぶがぶがぶと水のように飲んだ。幸助も飲もうとしたが、丸裸の大男と差し向かいではあまり盃(さかずき)が進まなかった。

「おいおい、タダ酒をおごってもろうているのだ。礼ぐらい言ったらどうだ」

「なにゆえ礼を言わねばならぬ。さっきも言うたはず。持っているものが持っていないものに分け与えるのは当然のこと。礼など言わず、ただただ『もらえばよい』のだ」

これも道理である。

「そろそろ着物が乾いたと思うぞ」

暗に「帰ったらどうだ」と水を向けてみたが、男は手枕でごろりと横になり、

「飲みすぎて動くのが面倒になった。今日はここに泊まるぞ」

「なに……？　ならば、せめて着物を着てくれ」

男はニタッとしてふたたび起き直り、

「それはつまり、泊まってよい、ということだな。わははははは……ならば、もっと飲もう」

そして、下帯をつけ、僧衣を着た。

「あんたは坊主なのか」

「さよう。緑雲坊(りょくうんぼう)と申す。おまえはなんという名だ」

「俺は、葛幸助という浪人だ」

「ふうむ……仕事は絵師だな」

「ほう、よくわかったな」

「絵の具と筆が置いてある」

「まあ、ほとんど仕事はないゆえ、筆作りの内職で糊口(ここう)をしのいでおる」

「絵を仕事だと思うからいかぬ。好きな絵を好きなように描けばよいではないか」

「あんたは絵のことがわかるのか」

「わかる。注文されて描いた絵は依頼主の好みにあわせねばならぬ。そういう絵は代金が透けてみえる。坊主も同じだ。亡きものの成仏を心から願うたとき思わず口をついて出るのが経の本来だが、お布施(ふせ)をもろうて上げる経からは、これを上げ終わったらいくらいくらもらえる……という気持ちが伝わってくる」

「なるほど……」

　幸助は、父親の跡を継いで大名のお抱え絵師になったときも、自分の描き方を変えなかったため、クビにされてしまった。その後も自分の好きなように絵を描いたが、買い手がつかず、結局は内職に手を染めることになった。だが、近頃は瓦版の挿絵や歌舞伎の絵看板、酒屋の看板などを描いているだけで、自分の好きな絵を描くということをしていないのではないか、と思った。

（知らず知らずのうちに、注文がないと描かぬようになっていたのだな……）

　幸助は緑雲坊の肩を叩くと、

「なかなかよいことを言う。よし、今夜は飲もう」

「はははは……飲もう飲もう」

　キチボウシがキチキチッとうるさく鳴いていたが、幸助は無視して緑雲坊と痛飲した。

「ちょっと厠に行ってくる」

　幸助はそう言って立ち上がった。長屋の厠は表にある。汲み取り屋が屎尿を買い、肥料として百姓に売る。その代金は家主の実入りになるのだ。

「おっと……」

酩酊していた幸助は、緑雲坊の茶碗につまずいてしまった。茶碗は勢いよく転がって、壁にぶつかり、縁が欠けた。

「すまんすまん。うっかり蹴飛ばしてしまった。あまり高価でないものならよいのだが……」

「ああ、かまわんよ。茶碗などというものはいつかは割れるものだ」

緑雲坊は欠けた楽茶碗で美味そうに酒を飲み干すと、ごうごうとおおいびきをかいて寝てしまった。老人の姿になったキチボウシが、

「なんじゃ、こやつは。傍若無人にもほどがある!」

キチボウシに「傍若無人」と言わしめるとはなかなかの野人ではないか。幸助はつくづくその男の顔を見つめた。なんの警戒心もなく、ただただ無防備に眠っている。

キチボウシが、

「このような失敬千万なものはただちに叩きだしてしまえ」

「まあ、そう言うな。池に落ちたところを助けてしまった。関わり合いだ。ひと晩ぐらい泊めてやろう」

「ふん……この坊主はとんだ禍じゃぞよ」

「ならば、おまえが呼び寄せたのだろう」

「そうかもしれぬ。――とにかく残りの酒は我輩のものじゃ。もうひとしずくたりともこやつにはやらぬ」

そう言うとキチボウシは猛烈な勢いで酒を飲みはじめた。幸助もちびりちびりと飲りながら、紙を出して、絵を描きはじめた。

「なんじゃ。久々に絵の仕事が舞い込んだか」

「そうではない。この坊主に言われてな、仕事ではない絵を描きたくなった」

「そんな一文にもならぬことは時間の無駄じゃ。やめておけ」

キチボウシがぐずぐずと文句を言うのを尻目に、幸助は絵筆を走らせた。題材は十牛図である。たとえだれからも頼まれていない絵であっても、父親のそれよりは上手く描きたかった。幸助は第一枚目の「尋牛」にはじまり、「見牛」、「得牛」、「牧牛」……と十枚描いた。十牛図にはそれぞれ意味がある。まずは、牛（仏性）を探すところからだ。そのうちに牛の足跡を見つけ、追っていくと、牛そのものを発見する。牛はなかなか言うことを聞かず、どこかへ行ってしまったりするが、次第に飼いならせるようになる。そうなると牛に乗って家に帰ることもできる。そのあとは、もう牛を捕まえたことや、牛そのもののことも忘れてしまってよい。それが悟りの境地というわけだ。

「我ながらよい出来だ。そうは思わぬか、キチボウシ」

　酔いも手伝って幸助は自画自賛した。キチボウシは鼻を鳴らして、

「我輩には絵の善し悪しなどわからぬ。わかるのは酒の善し悪しだけじゃ」

「つまらんやつだな」

　いつまでも飲んでいるキチボウシに呆れた幸助はそのまま寝てしまった。狭い長屋の部屋に、ごごご……ごごご……という緑雲坊のいびきの音が響いていた。

　翌日、朝の光を顔に浴びて目を覚ました幸助は愕然（がくぜん）とした。十枚の絵がすべてびりびりに破られていたのだ。

「どういうことだ。キチボウシ、おまえがやったのか」

　幸助が叫ぶと、キチボウシが言った。

「我輩は酒を飲むのに忙しゅうてそのような暇はなかったぞよ」

　どうやらあれ以来ずっと飲み続けていたらしい。

「あのナントカ坊がやったのじゃ。我輩は見ておった。急に起き上がると、おのしの描いた絵を一枚ずつつらつらと眺め、そのあとにわかに破り捨てたのじゃ。なにか気に入らぬことがあったのかのう。キシシシシ……」

キチボウシはそう言って笑った。

「緑雲坊はどこだ」

「さあ……出ていってしもうた。行く先は知らぬ」

幸助は、破り捨てられた絵の横に緑雲坊の茶碗が転がっており、一枚の紙が置いてあることに気づいた。そこには、

画に俗気（ぞくけ）あり
茶碗は汝（なんじ）にやる
また来る

と書かれていた。

（俺の絵に俗気がある、というのか……）

幸助は腕組みをして考えた。

「依頼されずに好きな絵を描いたつもりだったが、父上よりも上手く描こうとか、いらぬことを考えすぎたのかもしれぬ。いや……「好きな絵を描く」ことに囚（とら）われていたか……）

キチボウシが、

「十枚の絵と引き換えに欠けた茶碗が一個とは割に合わんぞよ。やはりあの坊主は災難であったのう」

「災難？　なかなか面白い御仁だったではないか」

幸助は笑いながらそう言うと、欠け茶碗を簞笥のうえに置いた。

◇

曲がりくねった路地の奥に三軒長屋がある。そのうちの一軒に頰かぶりをした若い男が入っていった。

「伊賀八さん、いてなさるかい」

男は江戸訛りで言った。

「おお、独楽二郎やないか。久しぶりやな」

五十がらみの町人がそう言った。縞柄の単ものに柔らかそうな羽織をひっかけている。実直そうな商人のようだが、どことなくただものではなさそうな雰囲気も醸し出している。右頰から喉にかけて傷があり、顔に凄みを与えていた。

「買ってもらいてえものがあってね」

　独楽二郎と呼ばれた男は頬かぶりをしたまま、ふところから取り出した。珊瑚玉のかんざしを伊賀八のまえに置いた。

「どこかの大商人の妾だろうな。下女をひとり連れて、心斎橋筋を歩いてやがったんで、すれ違いざまに頭からそっと、ね」

「相変わらずの腕やな。——これでどや」

　伊賀八はいくばくかの金を独楽二郎に握らせた。

「へっへっへっ……こちらさんは高く買ってくれるからありがてえ。これで、刺身で一杯飲めらあ」

　そう言いながらひょいと脇を見て、そこにべっ甲の根付が置いてあることに気づいた。

「なんでえ、こいつは？　質札がついてるじゃねえか」

「つい今しがた持ち込まれたもんや。鼻垂らしたどこぞの小せがれが売りにきよった」

「そのガキが盗人なのか？」

「いや、通りすがりの男から二十文やるからあの家に使いにいけ、て言われて売りにきよったらしい。よほど、あとをつけて、だれに金を渡すのか確かめたろかと思たけど、いちいちそんなことしてたらこの商売やってられんさかいな。――とにかく、これはすぐにもとの質屋へ返しにいかなあかん」

「え？　どうして？」

「やむにやまれん事情でどうしても質入れせなあかんかった大事なもんかもしらんやろ。受け出そうとして、品ものが蔵から消えてたら困りはるがな。質屋の信用も落ちる。わては、質屋からものを盗むようなやつとはほんまは商売しとうないのやが、断ったらよそに持っていきよるやろ。しかたなく買うとるのや」

「あんたも妙なところで律儀だねえ。まあ、おいらもそこが好きなんだが……」

「べんちゃら言うたかて羊羹も出んで」

「へへへへ、また頼まあ」

そう言うと独楽二郎は長屋を出た。堂島の通りをしばらく行ったところで、

（あれ？　あいつ、どこかで見た顔じゃねえか……）

「繁松」という植木屋の法被を着て、はしごを担いだ男を見て、独楽二郎は首をひねった。眉毛が太く、毛羽立っている。いわゆる「げじげじ眉毛」というやつだ。目は三日月のように細く、鼻は団子鼻で顔の真ん中にあぐらをかいている。

（思い出した……！　病葉の猪三じゃねえか！）

独楽二郎は両目を見開いた。病葉の猪三は彼に気づかず、通り過ぎていく。

（どうしてこいつが……。そうか、野郎、島抜けしやがったな。これは、お福の旦那に知らせにゃあなるめえ。お節介焼きと言われるかもしれねえが、な……）

独楽二郎はなんども一人合点をした。

◇

「亀吉殿はおられるか！　家来の徳太郎とるいでござる。亀吉殿！　亀吉殿！　亀吉、亀吉、亀吉……亀亀亀亀亀亀！」

翌日の夕方近く、筆屋弘法堂の店先でふたりの子どもが声を張っている。

「おい、亀吉」

一番番頭の伊平が、あちこちの職人から大量に届いた化粧筆を仕分けしている亀吉に言った。

「おまえの家来が来てるみたいやで」

「は……？」

「さっきからうるそうてかなわんさかい、ちょっと相手して追い返しなはれ」

「へーい」

亀吉は言われるがまま表へと出た。

「なんや、おまえらか」

あのとき「なにかあったらいつでも訪ねてきてや」とは言ったものの、まさか本当に訪ねてくるとは思っていなかった。仕事の邪魔やから帰れ、と言おうとしたが、徳太郎とるいが涙ぐんでいることに気づき、

「なんぞあったんか」

徳太郎が、

「はい。――母上が戻らぬのです」

「こないだもそんなこと言うとったな」

「あのとき、遅くに戻ってこられました。でも、今日もまた朝餉(あさげ)のあと、行き先を告げず、だれにも断らずにひとりでどこかに出ていかれて……」

「ええやないか。お母さんもたまにははめをはずしたいやろ」

「武家の女というのはそのような勝手は許されぬのです。外出(そとで)をするときにはかならず用人に行き先と用件を届けなければなりませぬ。それなのに母上は近頃、どこへ行

くとも言わず、こっそりと出かけられることが多く……」

徳太郎の涙はとまらない。

「我々がなにを言うても、おまえたちが心配することはなにもない、と申されるばかり。ひそかに後をつけても、途中でまかれてしまうのです。今日という今日は……と思うてこの近くまでついてまいりましたが、急に走り出して……子どもの足ではついていけませんでした」

「お父さんはどないしとんねん」

「父上は今、お殿さまからたいへんなお仕事を言いつけられたらしく、先日から家を空(あ)けることが多く、今朝も早く国表に向けて旅立たれました。母上が在宅かどうかなど気にもとめておられぬご様子……母上はいつも暗い顔をしておられ、我々が、お身体の具合でも悪いのですか、とか、なにかお悩みごとでもあるのですか、とたずねても、作り笑いをされて、あなたたちはなにも心配しなくてもよい、それぞれの本分を尽くしなされ、とおっしゃいます。ですが、どう考えてもあの様子はおかしいのです。もし、母上が今夜戻らなかったら、それがしは……それがしは……」

徳太郎はごしごしと涙を手の甲でこすった。

「泣いたらあかん。わても一緒になっておまえらのおかんを探してやりたいけど、お店がめちゃくちゃ忙しいさかいなあ……」

徳太郎は亀吉のまえに土下座をして、

「お願いします。亀吉殿のほかに頼れる方がいないのです。るい、おまえも頭を下げろ」

丁稚仲間の寅吉が、

「亀吉っとん、侍の子どもいじめたりしたらあかんやないか」

そう冷やかしたので、

「いじめてないわい！」

亀吉は番頭の伊平のところへ行って、

「すんまへん。というような事情で、このふたりのおかんを探す手伝いをしたいんだすけど、よろしゅおますやろか」

「ええわけないやろ。お店が今、どういうことになってるかわかってるのか？　おまえが抜けたら困るのや」

「へえ……」

亀吉がしょぼんと頭を垂れ、徳太郎たちのところに戻ろうとしたとき、

「番頭どん、ちょっと待ちなはれ」

奥から出てきたのは主の森右衛門だった。

「たしかに今、店はたいがい忙しい。猫の手も借りたいぐらいや。けどな……こんな小さい子らがうちの丁稚を頼ってきたのや。よほど心細いのやと思う。言い変えれば、うちの丁稚しか頼れるものがほかにおらんということやないか。おまはんの裁量でしばらく亀吉を仕事から外すというわけにはいかんかえ。わしからも頼みます」

そう言って主は頭を下げた。伊平はあわてて、

「いや、旦さん、頭をあげとくなはれ。わかりました。たしかにうちの亀吉を頼ってくれた、というのはうれしいことだすな。亀吉の穴はなんとか皆で埋めるようにだんどりしまっさ」

「そう言うてくれてありがたい。――これ、そちらのおふたり。うちの丁稚を貸しますで、役に立つや立たんやわからんけど、がんばってお母上を探しなはれ。うまいこと見つかったらよろしいなあ」

徳太郎は涙をぼろぼろこぼし、

「ありがとうございます！　このご恩は一生忘れませせぬ」

伊平も少し涙ぐみ、

「旦さんのお許しが出た。亀吉、この子らの力になってあげなはれ。ただし、今日一

日だけやで。遅うなっても今日は許したげる」

亀吉は、

「番頭さん、いつでもそういう態度やったら丁稚も働きやすいのに……」

「生意気言うな。今日は特別や」

こうして亀吉は、徳太郎とるいを引き連れて弘法堂を出た。しかし、これといって行くあてはない。

「お母さんが行ってそうな場所、どこか思いつかんか?」

徳太郎は首をかしげ、

「それがしたちは堂島の蔵屋敷のなかの拝領屋敷に住まうております。母上が出ていくときはいつもあとをつけるのですが、永良(えら)町北筋の西、桜橋のたもとに大きな質屋があり、そのあたりで見失うのです」

「ふーん、とりあえずその辺へ行ってみよか」

三人は桜橋に向かった。質屋は「山崎屋(やまざきや)」という名前で、徳太郎が言うとおり、高い白壁に囲まれたかなり大きな店だった。三人は店の周囲をぐるぐると回ってみたが、そんなことをしていてもなにもわからない。しびれを切らした亀吉が、

「思い切って、なかに入って、こちらに、えーと……おまえらの苗字をまだ聞いてな

かったな」

「近石と申します」

「近石さんの奥方さんが来られてまへんか、て言うてみよか」

「それは……母上の名を出すと、あとで母上が父上に叱られるかもしれません。質屋に出入りするとはどういうことだ、と……」

「そやなあ……」

「私たちも、子どもたちだけで外出して、あれこれ調べ回るなどもってのほか、と言われるかもしれない……」

「そらそやけど、こうしてても埒が明かんやないか」

「そうですね……」

「わてに任せとけ。こういうときは思いきってバーン！　と行かなあかん」

「よろしくお願いします」

　亀吉は質屋の入り口からなかに入った。すぐの土間は狭く、下駄箱があり、そこで履きものを脱いでうえに上がるようになっていた。手代たちが持ち込まれた着物や刀剣類の品定めをしており、結界（帳場のなかの囲い）に番頭らしき男が煙管をくゆらせながらそれを見つめていた。

「ごめんやす」

亀吉はおずおずと話しかけた。その後ろに徳太郎とるいが身体を小さくして控えている。

番頭らしき男は亀吉をじろりと見た。その眼光に亀吉はすくみ上った。

「あのー……ちょっとひと捜しをしておりまして」

「あんたはどこのどなたです。まずは名乗りなはれ」

亀吉はびくっとしたが、ここでひるむわけにはいかない。

「弘法堂という筆屋の丁稚で亀吉と申します。こちらに近石さんというお武家の奥方が来てはりまへんやろか」

「近石……?」

男は首を傾(かし)げたが、

「あんさん、なんでそのお方を捜してなはる」

「そ、それはちょっと言えまへん」

「なら、こっちも言えんな。丁稚さん、質屋にはいろんなお客さんが来られます。来たことを内緒にしておきたい方もたくさんいらっしゃる。せやから、質屋としては、お客さんのことをべらべらしゃべるわけにはいかんのや」

「あー……そうか……」

たしかに質屋を利用しようという人間はそれぞれ事情があるだろうが、金に困っているることには違いない。なかには家族に黙ってきているものも多いだろう。

「うちは、お客さんがたがいに顔を合さんようにひとりずつべつのお部屋に入ってもらうようにしとりますし、ご希望があれば裏口からこっそり入ってもいただけます。口が軽うては質屋稼業は務まらん。せやさかい、あんさんにどういう理由があるかは知らんけど、どなたにせようちのお客さんのことは言えまへんのや。これは、相手がお上やとしても同じだす。悪う思わんようにな」

もっともな話だった。

「わかりました。考えなしですんまへん」

番頭がまた煙管を吸い始めたのをしおに三人はうなだれて店を出た。もしかしたらこうしているあいだに帰宅しているかもしれない、と一旦蔵屋敷に戻ってみた。なかに入っていった徳太郎とるいを待つあいだ、亀吉は外からその屋敷の様子を眺めた。壁に添ってたくさんの桜の木が等間隔に植えられており、その数はおそらく百本を越えよう。すでに散ってしまっているが、満開時にはさぞかし壮観だろうと思われた。出てきた徳太郎とるいに亀吉は勢い込んで、

「どやった？」

ふたりはかぶりを振った。奥方の無断外出を知った用人がやきもきして、

「旦那さまの留守にかかる不行跡、もしも旦那さまのお耳に入ったらご実家に戻されるやもしれませぬぞ」

と言ったらしい。ふたりがまたしてもしくしくと泣きだしたので、亀吉は声を張り上げて、

「そや！　こういうときはかっこん先生に相談や！」

徳太郎が、

「そのかっこん先生なる人物はなにものでございます」

「見かけはよれよれのぼろぼろのガタガタやけど、あんがい頼りになる先生なんや。うちから筆作りの仕事を頼んでるのやけど、本業は絵描きさんやねん。家はここから近いさかい、今から行ってみよ」

「よろしくお願いいたす」

こうして三人は日暮らし長屋に赴(おもむ)くこととなった。

同じころ、山崎屋の奥座敷ではひとりの武家女が主(あるじ)の魚兵衛(ぎょへえ)と相対していた。女は畳に頭をこすりつけ、涙を流している。主は渋面で女を見下ろしている。女は三十歳

ほどで、気品のある、臈長けた顔立ちだが、どことなくおもやつれがしているように見える。ふたりのあいだには銀の小粒が紙のうえに置かれている。

「ではこれほど頼んでも、皿は返してもらえぬのですか。たった一日でよいのです。つぎの日にはかならずまたこちらに持ってまいります」

「冷たいようだすけど、そういうわけにはまいりまへん。それが質屋というもんだす。あんさんのことやさかい、助けてあげたいのはやまやまやけど、質入れしたものは利上げせんと流れてしまう。近石の奥さまは質入れしてから今日までずっと利上げなすっておられます。それゆえてまえどもでも流さんとお預かりしてございます。けど、利子やのうてお貸ししたお金を全額お返しいただかんと、受けだすことはでけんというのが質屋の法。たとえ一日でもお断わりさせていただきます。そのかわり質草のお品はうちの蔵で大事にお預かりさせていただいとります」

「それはわかっております。なれど……どうしても一日だけ入用なのです。これこのとおり、お願いいたします」

「いくら頭を下げられても無理なものは無理でございます。お聞き分けくださいませ」

「…………」

「一年まえ、てまえが奥さまに百両ご用立てしましたときのことを覚えておいでだすか。うちの女中のおりょうに連れられて旧知のあなたさまがお越しになり、だれにも知られぬよう百両貸してほしい、とおっしゃいました。百両もの大金をなにになさるのです、とおききすると、それは言えぬ、黙って百両貸してほしいと……。質草はなんでございますか、とうかがうと、『十牛図』の組皿である、家宝ゆえぜったいに流すことはできぬ、とおっしゃる。近石さまのところの『十牛図』ならば、てまえも噂を聞いているほどの品。でも、てまえどもは古道具屋ではないので、こういうものには目が利きませぬゆえしかるべき骨董の目利きに鑑定させてからお預かりするかどうかを決めたい……と申しますと、一刻の猶予もならぬのだ、子どもの命にかかわることだ……と涙ながらにおっしゃいますゆえ、昔お世話になったあなたさまを信用して、事情をいっさいうかがうことなく、皿の鑑定もせず、百両ご用立ていたしました」

「あのときの恩は今でも忘れておりませぬ」

「利上げをせぬと流れてしまいまするゆえ、くれぐれも気をつけとくなはれ、とてまえは申し上げたはず。殿さまから拝領した大事の家宝やということでしたさかい、すぐにでも受け出しに来られるかと思とりましたが、利上げなさるばかりで……。しかも、此度は一日だけ受け出したいなどと勝手なことを言わはる……」

「申し訳ないと思うております。その利上げすら近頃はままならず、自分の着物やかんざし、櫛、こうがいなどを売ってお金を作っていたのですが、それももう底を尽きました。高利貸しからもたびたび金を借り、これ以上は借りられぬのです。今日も一日、朝から金策に走り回りましたがこれだけしか作れませんでした」

「これでは足りまへん。今日が利上げの期限だすさかい、てまえどもとしては流さなりまへんのや」

「それは……それだけはお許しくださいませ！」

「せやけど、利上げしてもらえまへんとそうせざるをえまへん。ほかのお客さんとの釣り合いをとるためにも、奥さまだけを贔屓するわけにはいきまへんのや。こう申しますと、てまえがよほど冷たい人間やとお思いなさるかもしれまへんけど、うちはよそより利も安いし、質草はなんでも取るし、お金がのうてお困りの方々には重宝していただいてると思いまっせ」

「ですが……もうお金がなくて利上げができぬのです」

女は泣き崩れた。主の魚兵衛は困り果てた顔つきでその様子を見ていたが、

「差し出がましいかもしれまへんけど、ご主人に相談なさったらどないだっしゃろ。その……お腰のものを一時質入れしていただくとか……。大小二本なら、それなりの

値ぇにはなりますやろ」

「主人は勤番侍。刀も、とても百両もお借りできるような銘品ではありませぬ」

「けど、そうしてくれはるのなら、一日だけやったらお皿をお返しいたしましょう。つぎの日に皿を戻して、刀を受け出してくれはったら……」

一瞬、女の目が輝いたが、すぐにかぶりを振り、

「とてもそのようなこと言い出せませぬ。家宝を質入れしていたなどと知られたら離縁されてしまいます」

「とにかく今夜の子(ね)の刻（十二時）まで流すのは待ちますさかい、それまでになんとか利上げしとくなはれ。頼みまっせ」

女はふらふらと立ち上がると、

「長々世話になりました。このとおり礼を申しますぞ」

そう言って部屋を出ていった。魚兵衛はしばらく女の去った方角を見つめていたが、

「因果(いんが)な商売やな……」

そのとき、

「旦さん、ちょっとよろしいか」

廊下から声がした。

「なんや、番頭どん」

「さっき近石さまのお子さんが母親を捜しにきましたで。客のことは軽々しく教えられん、と言うて帰らせましたけど」

「うーむ……わしとて鬼やないが、質屋がいちいち客に情けをかけてたら質屋の法に外(はず)れるさかいな……」

「それと、伊賀八が参っとります」

「おお、そうか。すぐに通しとくれ」

　番頭と入れ替わりに入ってきたのは中年の町人だった。

「またか」

「へえ……」

　男は風呂敷に包んだものを差し出した。魚兵衛は風呂敷を解(ほど)いた。なかから出てきたのはべっ甲の根付だった。魚兵衛は舌打ちをして、

「まだ質札がついたままやないか。手荒いことするで」

　そう言うと、帳面を調べ始めた。

「煙草屋のご隠居さんからお預かりして、五番蔵に入れてあったものや。三日前の棚卸しのときはたしかにあった。――あんた、これ、なんぼで買うたのや」

「細工が細かいさかい五両で」

「ほな六両で買うわ」

魚兵衛は手文庫から金を出して伊賀八という男に与えた。

「いつもすんまへん。散財かけて……」

「礼を言うのはこっちや。うちの蔵からいつのまにか失うなって、あんたとこに持ち込まれてる品……値ぇの差はあれどどれもお客さんからの大事な預かりもの。盗まれました、失くしました、ではすまんもんばかりや。もしそんなことがバレたらうちの信用はガタ落ちになる。あんたが気ぃきかせて知らせてくれるさかい、こうして買い戻すことがでけるのや」

「わてはご承知のとおり窩主買いだす。出どころを聞かずに盗品でもなんでも買い取るのが仕事だすけどな、商売の仁義ゆうものは大事にしたいと思とります。命がけで、苦労して盗んだ品ものならともかく、質屋の蔵からひょいひょいと持ってこられるのは、あんまり気分のええもんやおまへん。けど、わてが断ったら、よその故買屋に持ち込みますやろ」

「ふた月ほどまえからちょいちょいあるのや。おかげでしょっちゅう棚卸をせんならん。あんたのおかげで今のところは取り戻せてはいるが、よそへ持っていかれたらどもならん。なんぼか上乗せして、かならず買わせてもらいますさかい、しばらくは黙って買い上げとくなはれ」

「旦さん、わては上乗せしてもらわんかてかまいまへんのやで。わてが買うたそのまんまの額さえいただけたらそれでよろしいねん」

「あんたが律儀にうちからの盗品を持ってきてくれることへのお礼と、うちまで持ってきてもらう手間賃やと思といてくれ。これからもよろしゅう頼みます」

「いったいどこのどいつがやっとりますのやろな。盗品をうちに持ってくるやつは毎度変わりますのや。あとをつけてバレたら、つぎからはよそに持っていきまっしゃろ」

「どうせ通りすがりのもんに小遣い渡して持ち込ませてるのやろ」

「旦さんの方ではなにかわかりましたか」

「お奉行所に届けると、質屋が質草を盗まれてる、ゆうことが公になってしまう。それだけはさけたい。けど、蔵の鍵をこじ開けた形跡はないのや。こないだわしが、うちの奉公人と出入りのもんを全員調べてみた。もちろん家族や番頭も特別扱いはせんかった」

「それでどないだした」

魚兵衛はかぶりを振り、

「怪しいといえば怪しいやつはなんにんかおるのやが、こいつや！　と断言できるものはおらんかった。なにも証拠がないさかい、下手したらわしが逆ねじを食うやろ」

　そう言ってため息をついた。

「せやけど、わしも失礼ながらはじめはあんたのことを故買屋なんか碌なもんやないやろ、と思てたけど、大きな間違いやった。こんなに情のあるおひとやったとはなあ……」

「わては裏の世界には通じてますけどな、これでもいろいろ苦労しとりますのや。それに、この商売してたらいろんな連中とつきあいができます。ほんまもんのワルは捕まってもしゃあないけど、なにか事情があって、しかたなく盗みに手を染めた連中は、できれば捕まらんと改心してべつの仕事をはじめてほしい、その手助けがしたい、と思てこんな商売を続けとります」

　伊賀八は苦笑いをした。

◇

曽根崎新地の茶屋で派手に小判を撒き、女将から芸子、舞妓、若い衆に至るまでたっぷりと心付けをはずんだお福旦那は、

「あはははは……ほんま、今日は面白かった。このへんでお開き、いうことにしよか」

たしかにまだ宵の五つ（八時ごろ）を過ぎたころで、茶屋遊びならこれからが本調子という時分である。女将が引き留めようとすると、

「旦さん、まだええやおまへんか。宵の口だっせ」

「今夜はこのあと用事があるのや」

「よその店行ったらあきまへんで」

「そんなことはせん。ふたりで飲むのや」

「えっ？　どこの女子とだすか」

「女子やない。男や」

「嘘ばっかり……」

「ほんまやて」

「ほな、そういうことにしといてあげまっさ」

お福は憮然として、

「ほんまなんやけどなあ……」

一同は頭を下げて、お福の帰りを見送った。女将が代表して、

「いつもいつも、ぎょうさんお金使ていただいてありがとうございます。不景気な折に助かります」

「のほほほほほ……。今夜は久しぶりにすっからかんになるまで使たわ。わたいの仕事はお金使うことやと思とる。金いうものは貯め込むだけが能やない。もうかった分をもうかってないところに回したら、お互い気分ようおれるやないか。たまにはみんな、夢を見てほしい、と思てな。それに、金は汚いものや、と毛嫌いする連中もおるけど、わたいが撒く金でたとえひとりでも助かるお方がいたら、金も無駄にはならんやろ。——ほな、また来るわ」

雪駄をしゃりしゃり鳴らしながら、提灯を持ったお福は新地を離れた。しばらく行ったところで、

「お福の旦那じゃありませんかね」

野太い声がした。

「だれや?」

「おいらでやす」

名前を名乗らずに暗闇のなかから現れたのは、頬かぶりをしたひとりの男だった。

お福は顔をしかめ、

「おまはんかいな。久しぶりやな。けど、こんなところで会うてるのをひとに見られたら……」

「言いてえことだけ言わせていただきやすんで聞いてくだせえ。病葉（わくらば）の猪三が戻ってきておりやす」

「な、なんやと……」

お福の顔色が変わった。

「なんでや。ご赦免（しゃめん）になったとは聞いてないで」

「堂島のあたりで見かけたんで、ちょちょいのちょぃと調べてみたら、三月（みつき）ほどめえに島抜けしておりやした。大坂にこっそり舞い戻って、あんたを探してるそうですぜ」

「そうか……。今のわたいはあいつに会うたかてなんのやましいこともないが、島抜けまでしたとなると、無事ではすまんかもしれんな」

「向こうは旦那を逆恨みしてやすからね、道連れにして自分も死ぬ、ぐらいのことはやりかねねえ。大坂に潜（もぐ）り込むたあそれなりの覚悟があってのことでがしょう。町奉行所でも血眼(ちまなこ)になって探してるらしゅうござんすが、おいらの立場じゃ町奉行所に差すわけにはいかねえから、旦那にじきじきにお知らせにあがったてえわけで……」

「よう知らせてくれた」

「派手な遊びはしばらくお慎(つつし)みになられた方がいいんじゃありませんか……。あと、用心棒を雇うとか……。ああ、これは差し出口をきいちまった。――じゃあ、おいらはこれで」

「ちょっと待ってくれ」

お福はふところから財布を出し、小粒銀を男の手に握らせた。男は、

「おいらがお福旦那から受けた恩は数限りねえ。こんなものをもらいたくて今晩来たわけじゃねえんで」

「わかってる。けど、おまはんの気持ちがうれしいさかいな。取っといて」

「それじゃあ遠慮なくちょうだいしておきます」

「猪三の立ち回り先に心当たりはないか」

男は首を傾げたが、

「家族がいるてえ話も聞いたことねえな。また、なにか耳に入ったらお知らせにあがります」

そう言うと男は、現れたときと同様、暗闇に溶け込むようにして消えた。お福はため息をついた。しかし、男の話を聞いたあとでも態度は変わらない。堂々と道の真ん中を闊歩（かっぽ）している。こう見えて、お福旦那は揚心流小太刀（ようしんりゅうこだち）の達人なのである。

（猪三が戻ってくるとは思いもせなんだ。気の荒い、無茶するやつやった。これはかなり気ぃつけなあかんぞ。けど……こっちが身を隠す、ゆうのもけったくそ悪い。わたいはなにも悪うないのやさかいな。ああ、わたいの方が先にあいつの隠れ家を見つけられたらなあ……）

そんなことを思いながらお福は歩いた。雪駄の音も殺している。

（今晩、貧乏神のところに行くつもりやったけど、やめといた方がええやろか。いや……ここでビビッてたらあかん。あいつも柳生新陰流免許皆伝の腕や。わたいの揚心流とあいつの新陰流が揃うてたら、たとえ相手がなんにんおろうとなんとかなるやろ……。まあ、あんまり酔うてなかったら、やけどな……）

お福は茶屋の紋が入った提灯を掲げながら曽根崎川沿いに道を取った。さざ波が月光を受けて白く、黒くきらめいている。ちょうど桜橋のたもとまで来たときだった。ふと橋のうえを見やると、ひとりの女が草履（ぞうり）を脱ぎ、両手を合わせて、

「南無阿弥陀仏……」

と唱えているのが見えた。

(身投げや……!)

こういうときは声をかけるとその声をきっかけに飛び込んでしまうので、無言で近寄るのが心得ごとである、ということも知ってはいたが、お福は思わず、

「待ち!」

と叫んでしまった。女はちらとお福を見たあと、そのまま欄干を乗り越えようとした。

「あ、あかん……!」

お福は猛烈な勢いで駆け出すと、今にも川へと落下しかけている女の帯をつかみ、渾身の力で引き戻した。

「お許しくだされ。死なねばならぬのです」

「あかんあかん死んだらあかん。とにかく落ち着きなはれ」

女はお福の手を振り解こうとしてもがいている。細い腕だが凄まじい力なので、お福も必死になって女を抱え込もうとしている。そのうちに女の右ひじがお福のみぞおちを突いた。

「げぷっ……!」

お福はあまりの痛みに手を緩めた。その隙に女はするすると抜け出して、ふたたび欄干から身を乗り出す。あわてたお福は四つん這いになって女を追いかけ、その両脚をつかんだ。女は橋のうえにうつぶせに倒れ、額をしたたか打って、暴れなくなった。

お福ははあはあと激しい息をつきながら、

「あんた……どういう……事情か……わたいに……話して……くれんか……それでもし……わたいの力では……どうにもならん……とわかったら……そのときは……あきらめる……けど……もし……なんとかなることなら……及ばずながら……手助けさせてもらうで……」

女は泣きながら、

「お金がいるのです。私が質入れしたあるものをどうしても受け出さねばならなくなったのですが、お金が足りませぬ」

お福はため息をつき、

「世のなかのたいがいの困りごとは金がないから起こる、ゆうのはほんまやな。それで、なんぼいるのや。わたいも乗りかかった船。出せる額ならお立て替えしまっせ」

「それがその……」

女は言い渋っていたが、

「百両……」

「そらまた大金やな」

「はい……ですから死ぬしかないのです。まずは今夜の子の刻までに一両ないとその質草が流れてしまいます」

「一両か。……ああ、ちょうどあったわ。——はい」

お福は財布から一両分の小粒銀を紙に包んで縛ったものを出して女に手渡した。女は呆然として、

「え……」

「一両いるのやろ。さあ、持っていき」

「でも……その……」

「悪いけど、さっき散財してしもたさかい今日はこれしか持ち合わせがないのや」

「そんな……見ず知らずのお方からいただけません」

「アホやな。これがないとあんたは死ぬのやろ。それではわたいが困るのや」

「なぜ困るのです」

「なぜ……と言われると答えにくいけど、これだけ必死になってあんたの身投げをとめたのや。死なすわけにはいかんやないか。とにかくこれを届けといで。それでな、

百両の方をお渡しせんと、仏作って魂入れず、ゆうことになるさかい、それもわたいがお出しいたします。明日まで待っとくなはれや。そのかわり、あんたの事情を聞かせてもらおか。あの……その……言うとくけどこの金をあげたからというて、あんたになにかしてもらおうとか、そういうつもりはさらさらないさかい誤解せんようにな」

女は泣き伏すと、拝むようにして金を押しいただき、

「私の素性もなにもお聞きになっておられぬのに……あなたさまは神か仏か……。このご恩はけっして忘れませぬ。ありがとうございます！　南無阿弥陀仏……」

「よう念仏唱えるひとやな。わたいは神さまでも仏さまでもないさかい、往来で拝まれたらかなわん。ええから早う行きなはれ」

「すぐに戻りますからここでお待ちいただけますか」

そう言うと女は足早に橋から去った。

（戻ってくるやろか。一両持って消えてしまう、ゆうこともあるかもしれんが……それならそれでべつにかまわん。とにかくひとりの命が救えたのやさかいな……）

お福はそう思った。

◇

すでに山崎屋は暖簾（のれん）をおろし、入り口を閉ざしていた。近石風太郎の妻はつは戸を叩いた。

「遅くにお邪魔をいたします。ちょっとお開け下さいませ」

「質入れでしたら明日にしてもらえまへんか。今日はもう店閉めましたんや」

丁稚らしい声がなかから応えた。

「質入れではありませぬ。利上げにまいりました。さきほどご主人が、今日の子の刻まで待つ、とおっしゃいましたので……」

しばらくするとくぐり戸が開き、

「どうぞ」

はつは店に入った。ちょうど女中が何組かの布団を運んでいるところだった。女中ははつの顔を見て、

「あら、奥さま……」

「ああ、おりょうか」

「聞きましたで。えらいことやそうだすな。例のあの品、とうとう流れてしまうとか……」

「そのことで来たのです。おりょう、喜んでちょうだい。利上げできることになりました」

「え……？」

「奇特なお方と知り合いになって、そのお方が一両立て替えてくださることになった。そのうえ元金の百両もお貸しいただけるそうです。明日、受け出しにまいります」

おりょうと呼ばれた女中は顔をこわばらせ、

「そのお方はどういう……」

「さっきたまたまお会いしたのです」

「見ず知らずのおひとが百両もの大金を貸してくれるやなんてありえへん。奥さま、だまされてまっせ。世間は甘うない。宿場女郎にでも叩き売られるかもしれまへんで」

「そなたもそう思うか。私もはじめは同じ気持ちでした。けど……そのお方はなんの見返りもなく、たまたま出会った私のためにそれだけのお金をご用立てしてくださる。この世知辛い世ににわかには信じがたい、ありがたいお話です」

「そんなこと、あるはずおまへんがな。固い土に埋まってる一文でも爪で掻き出そうとするのが人間。見ず知らずの他人に百両やなんて……なにか裏があるにちがいおまへんわ」

「とにかくここにそのお方からいただいた一両があるのです。早うご主人にお取次ぎを……」

　はつがそう言うのでおりょうはあわてて奥へと入っていった。

◇

「というわけやねん。貧乏神のおっちゃん、なんとかこの子らを助けとくなはれ」

　亀吉がそう言って頭を下げた。徳太郎とるいもそれにならった。幸助は、

「子どもが頭など下げずともよい。だいたいのいきさつもわかった。要は、おまえたちの母親の行方を捜せばよいのだな」

　徳太郎が、

「なんとか母上を救うてくだされ。お願いします」

「俺の考えでは、おまえたちの母はなにか後ろ暗いことに巻き込まれているのだ。な

にか思い当たる節はないか」

「思い当たる節、でございますか」

「なんでもよいのだ。おまえたち家族に起こった変わった出来事とか……」

　徳太郎はしばらく考えていたが、

「これといってなにも思いつきませぬが……るいが二歳のころ、神隠しにあったことがございます」

「詳しく言うてみよ」

「はい。一年まえのことで、るいはまだ幼く、今たずねてもなにも覚えていないらしゅうございますが、国許からこちらの蔵屋敷に越してまだ日も浅いころ、父上が所用で国表に旅立たれて留守にされたことがございました。そこに、国許でそれがしの家に奉公していたおりょうというひとが訪ねてきたのです」

　母親のはつは数日まえに、近所でおりょうと久しぶりにばったり会った。おりょうは大坂に出てきて、今は桜橋の質屋で女子衆奉公をしているのだ、という。はつも、今、旦那さまは国許に行っている、と言うと、積もる話をしたいから、今度訪ねていってもいいか、と言われ、はつは承知したのだそうだ。ちょうど桜が満開だったので、母上、それがし、るい、おりょう殿の四人で、堂島の北側の土手に花見に参ることになりました。家僕も連れぬささやかな花見ですが楽しゅうございました。毛氈を広げ、桜を眺めながら母上が握った握り飯を食べました。食べ終わったあとそれがしは母上とおしゃべりをし、るいはひとりで土手の草花を摘んだりしておりました……」

しかし、いつのまにかるいの姿が見えなくなった。はつは、おりょうが見てくれていると思っていたようだが、おりょうは知らないと言う。幼い子の足なので、それほど遠くにいくはずがない、とあちこち探したがどうしても見つからない。川に落ちたのでは、と近くにいた漁師や船頭に頼みこんで川のなかを捜してもみたがわからない。まさかとは思うがひとりで家に帰ったのでは、と蔵屋敷に戻ってみたが、やはりいない。どうしたものか、町奉行所に届け出ようか、などと相談しているときに、門番がやってきて、

「どこかの子どもが、知らぬひとに駄賃をもらって預かった、とこのようなものを持ってまいりました」

と言って封した手紙らしきものをはつに手渡した。差出人の名はない。

「なかを読んだあと母上が真っ青になったのを覚えています」

はつは泣き崩れたが、なにがあったのかときいても答えてくれない。

「母上があんな風に取り乱したのを見たのははじめてです。どうしたらよいかわから

ずそれがしがうろたえておりますと……」

　おりょうが、

「わてに考えがおます」

と言い出したのだそうだ。はつは徳太郎に部屋から出るように言い、おりょうとなにやら話し合いはじめた。そして、

「おまえは心配することはない」

　徳太郎にそう言い残してふたりで出かけてしまった……。

「それでどうなったのだ」

　幸助が先をうながすと、

「るいは、その日の夕方に戻ってきました。元いた土手で泣いていたのを、通りがかりのひとが見つけて、連れてきてくれたのです。それがしも安堵のあまり泣いてしまいました。るいに、今までどこに行っていたのか、だれかと一緒だったのか、と問いただしたのですが、土手で花を摘んでいると急に眠くなって、そのまま寝てしまった、というのです。だれかと一緒にいたような気もするがわからない、と……」

「ふーむ……」

「いろいろきいてみたのですが、なにもわかりませぬ。ですが、ただひとつ、どこに

いたのか、ときくと、『皿屋敷』……と」

亀吉がひっくり返った。

「えーっ！ 怖っ！ 怖っ！ わかった、お菊さんの仕業や。近くに井戸、なかったか？」

徳太郎はかぶりを振り、

「井戸もなにも……なぜ『皿屋敷』と答えたのかすらわかっていないのです」

「けど、皿屋敷ゆうたらあれしかないがな。るいちゃん、さぞかし怖かったやろ」

亀吉が震えながらるいに言うと、

「なにも覚えておりませぬ」

徳太郎が、

「るいはそのころまだ二歳。もう、なんの記憶も残っていないようです。ただ……母上の様子がおかしくなったのはそれ以来だとそれがしは思うております」

幸助が、

「この子が神隠しにあったことで、なにかがはじまったのかもしれぬな」

亀吉が、

「なにかってなんだす？」

「それはわからぬが……」

　そのとき、すぐ外で、

「あの……もし……」

　女の声が聞こえたので、亀吉はぴょん！　と跳び上がった。

「き、来たっ。お菊さんの幽霊が追いかけてきたんや。かっこん先生、なんとかしてんか！」

　しかし、入ってきた女を見て、徳太郎とるいが立ち上がった。

「母上！」

「お、おお……おまえたち、どうしてここへ……」

　はつに続いて入ってきたのはお福旦那だった。

「なんや、どういうことや」

　はつは徳太郎とるいを抱きしめると振り返って、

「このふたりは私の子どもです！」

　幸助が、

「母親がいなくなったから探してほしいと言って亀吉がうちに連れて来たのだが……俺がなにかするまえにもう見つかったようだな」

はつはあわてて額を床につけると、

「ご心配をおかけいたしました」

「あまり子どもを心配させぬようにな」

「はい……申し訳ございませぬ。これからはこのようなことがないようういたします
る」

幸助ははつの顔をしげしげと見て、

「待て……もしやそなたは近石風太郎の……」

「わが夫をご存じとは……おお、あなたさまは絵師の……」

「いかにも葛幸助だ。はつ殿、久しぶりだな」

「お恥ずかしゅうございます！」

はつは顔を真っ赤にした。幸助は徳太郎とるいに、

「俺はおまえたちの父上とも母上とも古い知り合いなのだ。これで安堵したか？」

徳太郎とるいは幸助に頭を下げ、

「かっこん先生、ありがとうございました！」

「なにもしておらぬゆえ礼を言われる筋合いはない」

お福が幸助に、

「わたいもひょんなことで知り合ったのやが、ちょっと訳ありでな。あんさんに相談しようと思て連れてきたのや。よかったよかった」

　そう言うと声をひそめ、

「いろいろ込み入った事情がありそうでな、ここでそれをこのお方から聞こうと思てたのやけど……」

　幸助は亀吉に、

「このふたりを蔵屋敷まで送りとどけて、そのあと店に戻れ。俺たちは三人で大事な話があるゆえ、はつ殿は今しばらくここにいていただく。亀吉、ふたりをしっかり守れよ」

「任しとくなはれ！」

　亀吉は胸を叩き、顔を紅潮させた。幸助は徳太郎とるいに、

「おふたりさん、それでかまわぬか」

　徳太郎が、

「はい、かっこん先生のおっしゃるとおりにいたします。――さ、るい、行こう」

　亀吉たちは外に出た。はつはお福と幸助にもう一度頭を下げ、幸助に言った。

「私は今日、川に飛び込んで死のうとしていたところを、このお方に一両という大金

をおめぐみいただき、死なずにすみました」

お福が、

「わたいはめぐんだつもりはないで。たまたまあんさんはお金がなかった。たまたまわたいは持ってた。せやから渡しただけや。あんな可愛いお子をふたりも残して死んだらあかんで」

「はい……申し訳ございません。あのときは死に神が憑いていたのだと思います。たとえなにがあろうと二度とあのような考えは起こしませぬ」

お福旦那が、

「それであと、まだ百両いるのやろ。わたいは今日、遊びがすぎて持ち合わせがなかったけど、事情に納得したら今度お渡しさせてもらう。そのあたりのことを聞きたいのや」

幸助が、

「それは、娘さんがかどわかされたことに関わりがあるのか？」

はつはハッとした顔になり、

「そのとおりです」

「娘さんは無事に帰ってきた、と聞いたが……裏側でいろいろあったのだな」

「はい……私の恥を申し上げねばなりません」

そう前置きして、はつは話し始めた。

るいがいなくなったあと、手紙が届いた。それは、「むすめはあずかっている　やくにんにとどけたらいのちはないぞ　ひやくりやうをこのてがみとともにこばこにいれ　ななつのかねがなつたら　さくらばしのうえからかわになげいれ　あとをみずにとくかえれ　そうすればむすめはぶじにもどるであろう」と書かれていた。

はつは半狂乱になった。夫の留守中に自分の不始末で娘をかどわかされたのだ。しかも、百両などという大金は勤番侍である近石家にはないし、はつにも借りられるあてなどなかった。せめて夫が国から戻ってくるのを待って相談したい、と思ったが、

（離縁されるかもしれない……）

子どもと別れるのは耐えられなかった。刻限は迫ってくるし、このままなにもしなかったらるいは殺されてしまうだろう。そうなったらつぐなおうにもつぐないきれない。そんなはつに、おりょうが言った。

「じつは、わてが今女中奉公しているおうちは『山崎屋』だすのや」

「ああ、あの……」

はつは山崎屋を知っていた。山崎屋はもともとはつやおりょうたちが住んでいた城

下で代々質屋を営んでいたが、当代になって大坂へ出てきて、店を大きくしたのだ。かつては近石風太郎と山崎屋魚兵衛は将棋仲間で、差し出すと夜を徹して熱中することも多かった。そんなときに世話をするのははつの役目だった。あるとき、魚兵衛が夜中に突然差し込みを起こして苦しみ出したときに薬を飲ませて介抱したこともあった。

おりょうも旧知の魚兵衛を頼り、同郷のよしみで雇ってもらったらしい。

「あそこからお金を借りたらどないだすやろ。あの旦那さまなら奥さまもようご存じやさかい、なんとかしてくれるのやおまへんやろか」

「質入れする質草がないのです」

「たしかこの家には『十牛図』とかいうお殿さまから拝領した家宝の皿があったはず。あれはこちらに持ってきてはらしまへんのか」

「持ってきてはいますが……」

「その皿を質入れして、百両借りられるかどうかわてはわかりまへんけど、言うてみる値打ちはあるのとちがいますか」

「でも……家宝の皿を旦那さまに言わずに勝手に……」

「お嬢さんの命がかかってますのやで！　とりあえず今は目のまえの災難をなんとか

しまひょ。あとでこっそり受け出して、返しといたら旦那さまもお気づきにならへんと思います。うちの旦さん、旦那さまや奥さまとも親しかったし、人情味もあるお方やさかい、すぐにでも頼みはった方がええのとちがいますか。わても、口添えしたげますわ」

はつは、おりょうに言われるがままに皿を出し、山崎屋に持ち込んだ……。

「ちょっと待ってくれ。その『十牛図』というのは俺の父親が描いた……」

「はい、お殿さまから拝領した近石家の家宝です」

「うーむ……」

「山崎屋さんは子どもの命がかかっているなら、と快(こころよ)くお金を貸してくださいました。蓋(ふた)に封がしてあるからと言って、中身も確かめなかったのです。――ですがそのとき、くれぐれも利上げだけはきちんきちんとしてほしい、質屋の法を曲げることはできないので、利上げをしないと流してしまうことになる、と念を押されたのです」

「近石から、その『十牛図』の皿を出してくれ、と頼まれたのではないか？」

「はい……お殿さまが蔵屋敷にお泊まりになられるときに茶事を催し、その席で使うから、と申しまして……。ですから、近石が国許から戻るまでに受け出さねばなりませぬ」

幸助は苦虫をかみつぶしたような顔になり、

「その皿を使うよう近石に進言したのは俺なのだ。いらぬことを言うてしまったな」

「いえ……いずれわかることです。来るときが来たのだ、と今は思うております」

「百両を小箱に入れて川に放り込んだら、流れていくのではないか。下流に網でも持ったものがいて、すくいあげる算段だったかもしれぬが、川幅の広い曽根崎川全部に網を張るわけにもいくまい」

「私もそう思いましたが、手紙の指図どおりにいたしました。あとのことはわかりませぬ」

「娘さんは『皿屋敷にいた』と言うたそうだが、心当たりはあるか」

「わかりませぬ……。二歳の子どもの申したことですから意味があるのかどうか……。私が皿を質入れしたことを知っていたはずもございませんし……蔵屋敷に来たばかりでしたので、その言葉を覚えていて『くらやしき』と言おうとしたのが『さらやしき』になったのではないかと……」

「ふーむ……」

お福が、

「事情はようわかりました。心配せんかて、お約束通り明日の朝ご用立てします。とっと返して、受け出しなはれ」

　はつは涙にくれた。

「ありがとうございます。これで死なずにすみました。百両とさきほどの一両と合わせて百一両、生涯かけてご返済いたしますので、しばらくお借りいたします」

「なにを言うとんのや。百一両はあげますのや」

「そうはまいりません」

「かまへん。その百両、わたいが持ってたらお茶屋で使てしまうだけやけど、あんたが使てくれたらお金も生きる」

「いえ……それでは受け取れませぬ」

「ははは……強情やな。ほな、お貸しするということにしときまひょ。そのかわり、あるとき払いの催促なし。無利子無証文やさかい安心しなはれ。明日の朝、この家に届けとくさかいな」

　幸助が、

「おいおい、勝手に決めるな」

「ええやないか。あかんのか」

「ここは戸締まりもできず、物騒きわまる。それに、ときどき思わぬ災難が飛び込んでくるからな、百両の受け渡しならよそでした方がよい。俺も、厠に行くときも持ち歩くわけにもいかぬ」

はつがお福に、

「あの……まだお名前をうかがっておりませんでした。どこのお店のご主人さまか教えていただければ受け取りに参上いたしますが……」

「それが……わたいは訳があって名乗れんし、店の名も言えんのや。堪忍してんか。世間では福の神の旦那、略してお福旦那とか呼ばれとります」

幸助が、

「こいつは俺の大親友だが、いまだにどこのだれかは知らぬのだ」

はつは目を丸くして二人を見、

「変わったお友だち同士ですこと」

そう言って笑った。お福が、

「会うてからはじめて笑うたな。——ほな、こうしよ。あんさんが山崎屋に皿の受け出しに行くときに、わたいが百両持って行きまっさ。あんさんが百両持ち歩くのも物騒やさかい、わたいが山崎屋さんのまえでお渡しします。それならよろしやろ。都合のよろしいのはいつだす？ こういうことは早い方がええと思います」

「それではお言葉に甘えて、明日の昼四つごろ、山崎屋さんのまえで待ち合わせではいかがでしょうか」

「わたいはそれでよろしいで」

「でも、そこまでしていただくなんて……」

幸助が、

「お福、俺からもよろしく頼む。このひとの夫の近石風太郎も俺の親友でな、真面目ですがすがしい正義漢だ。きっとおまえも気に入ると思う」

「そうか。ええひとを助けたわ。——けどなあ……それやったら旦那さんになにもかも打ち明けはったほうがええのとちがうか。夫婦のあいだに隠しごとはあかんやろ」

「俺もそう思っていたところだ。今の話を聞いたかぎりではは つ殿に落ち度はない。娘が殺される、と聞いたら、近石も同じことをしただろうと思う。たった一日で、しかも、近石のいないときにどうするか決断せねばならなかったはつ殿の行動は間違ってはおらぬ。皿なんぞよりもひとの命の方が重いのだ。俺の知っている近石風太郎は、きっとそう考える。そんなことで愛妻を離縁するような尻の穴の小さな男ではないと思うぞ」

はつはしばらく考えていたが、

「はい、茶事がつつがなく終わり、殿がご出立なされ、近石がすべての務めを果たしたら、おふたりのおっしゃるとおりにします。離縁が怖かったのですが、今の葛さまのお話を聞いて心を決めました」

「うむ、それでよかろう」

幸助はうなずいた。

「あの……あの……」

はつがまだなにか言いたげなので、

「どうしたのだ」

「あの……まだ信じられないのです。さっきまであれほど苦しんでいたのに……なにもかも本当のことなのですね。今夜寝て、起きたら、今の話は全部夢だった、とか……」

「夢ではない。自分で頰をつねってみられよ」

はつは頰をつまみ、

「あ……痛い！」

三人は笑い合った。幸助が、

「ところでさっきから話に出ているおりょうとかいう女中のことだが……どういった

知り合いかな」

「はい、あのひとは近石家の下働きをしていたものでございます……」

　なにか言い渋るようだったので幸助が、

「なにかあったのか」

「じつは……あるとき私が部屋に入ると、おりょうが化粧箪笥の引き出しを開けてなにかを摑み出しておりました。私に気づくとうろたえて、『失くしものをしたさかい探してましたのやが、ここにはないようです』と申しましたので、手を開きなさい、と命じますと、べっ甲蒔絵の飾り櫛でした。あまりにきれいだったから欲しくなった、出来心なのでどうか許してほしい、旦那さまには内緒にしてほしい……と泣きながら頼みますので、許してやることにいたしましたが……」

　それから数日後、おりょうの姿が見えなくなった。夫にきくと、急に暇を取って出ていった、とのことだった。私にひとこともなく……と気にはなったが、それきりおりょうのことは忘れていた。一年まえに偶然再会するまでは……。

「両親に死に別れて、一度は嫁いだものの離縁され、近石家に奉公するようになった、と聞いておりました。たしか兄がひとりいたはずですが、身持ちが悪く、若いうちに家出して盗賊になってしまったので縁を切った、と申しておりました。何度もお上の厄介になって、しまいにはとうとう島送りになったとか……」

「ほう、盗人か……名前は言うてへんかったか？」

「たしか……獣の名がついていたような……熊三……鹿三……虎三……」

「猪三やないやろな」

「それです。猪三です」

今度はお福が大声を上げた。幸助が、

「どうした、お福。知り合いか？」

「い、いや、知らん知らん。ほな、おはつさん、わたいはこの男と朝まで飲むさかい、そろそろ帰りなはれ。ほな、明日の昼四つに山崎屋のまえで……」

はつが帰ったあと、幸助はお福に言った。

「猪三のことだが、本当に心当たりはないのか」

「ない……こともない」

「どういうことだ」

「なあ、貧乏神……わたいの知り合いに病葉の猪三ゆう盗人がおる。わたいはそいつに恨みを買うとる。終生遠島のはずやったのやが、どうやら島抜けして大坂に舞い戻ってきてる、ゆう話をある男から聞いたばかりなんや。あいつがそこまでして大坂に帰ってきた、ゆうのはわたいに復讐するためとしか考えられん」

「復讐……？」

「そや。――まずはおりょうの兄の猪三がほんまに病葉の猪三かどうかを確かめなあかんけど……おりょうという女、どうも怪しいな。証拠もないのにむやみにひとを疑うのはようないが、国許での盗みも出来心やないやろ。たぶん質屋でもなんぞやらかしてるはずや。おはつさんと出会うたのも偶然やないのとちがうやろか。再会した直後に娘がかどわかされた、ゆうのはなんぼなんでもできすぎや。主が留守なのを知ってて、あの奥方を狼狽させて追い詰める魂胆やったのかもしれん。おのれの奉公先の質屋に質草まで名指しして質入れをすすめるというのもおかしいわ」

「かどわかしがおりょうの仕業なら、身代金の百両を川に放り込ませたあと、どうやって回収したのだ」

「それはわからんけど、おりょうという女は近石家になにか恨みがあって、復讐しようとしとるのとちがうか」

「俺もそう考えていた。皿が質屋にあるなら茶会には使えぬ。近石も大恥を掻き、ことによると切腹を言いつけられるかもしれぬ。だが、おりょうはおまえがおはつ殿の借金を肩代わりすると知った。受け出すのは明日だ。なにか動きがあるとしたら今夜だな」

「そやな……」

お福は茶碗酒を口にして、

「酒が苦いなあ……」

とつぶやいた。

◇

「どないするのや！」

おりょうは怒鳴った。

「このままやったら、殿さまが来るまえに皿を受け出されてしまうがな。どこぞのアホが近石の旦那に、あの皿使て殿さまを接待せえ、とか吹き込んでくれたおかげで、せっかくおもろいことになる、と思うてたのに、どこのどいつか知らんけど偽善者ぶった金持ちがいらんおせっかいして……」

おりょうのまえに座っているのは、げじげじ眉毛で団子鼻の男だ。「繁松」という植木屋の法被を着て、にやにや笑っている。

「へへっ、へへへへっ……心配いらん。わしがなんとかしたる」

「どういうことやねん」

「島抜けして以来、小遣い稼ぎにちょいちょいおまえの店の蔵からものを盗んでるやろ。その皿が置いてある蔵の錠をおまえが外しといてくれたら、いつものでんで夜さりに忍び込んで盗んだるがな」

「皿十枚ゆうたらけっこう嵩高いで。持って去ねるか？」

「アホか。一枚でええのやがな。ほな、受け出したかて、十枚あるはずの皿が九枚しかない、ゆうことになるやろ。ああいう皿とか茶碗は五枚とか十枚揃うとるところが値打ちなんや。その『十牛図』とかいう皿も、歯抜けになったらただの皿や」

「なるほど、芝居の『皿屋敷』みたいやな」

「それに、一枚だけにしといた方がバレにくいやろ」

「ほな、そうしてくれるか。持つべきものは盗人の兄やなあ。ええときに島抜けしてくれたもんや。お兄が訪ねてきたさかい、わてはあの女に引導渡すことにしたのや。もともとあの女の告げ口ではじまったことやさかい、あの女の旦那に、質入れのことを告げ口したるつもりやったけど、殿さまのまえで恥かいた方が大事になる。旦那が、皿の数を調べてみたら一枚足らん。あの女は離縁され、旦那は殿さまから叱られる。

もしかしたら切腹を言い渡されるかもしらん。けけけけ……ざまあみろや」

「せやけどまさかおまえがひとりでかどわかしまでやって、そのうえ百両をドブに捨てたとはなあ、思い切ったことをしたもんや。わが妹ながら感心するわ」

「ドブに捨てたのやない。川に捨てたのや。海まで流れていったやろ」

「惜しいなあ、百両。今からでも海の底を浚いたいわい」

「わては、あの女に借金背負わせるためなら百両なんぞどうでもよかったのや」

「怖いなあ。女の恨みは怖い」

「なに言うとんねん。男の恨みかて怖いがな。お兄が島抜けしたのは、福助ゆう男をぶっ殺すためやろ？　そいつもお兄のことをお役人に告げ口しよったんやろ？」

「そうじゃ。わしはどんな責めにも耐えて口を割らんかった。役人も根負けしよった。もうすぐご赦免……ゆうときにあのガキが密告しよったせいで、わしは『終生遠島』になってしもた」

「腹立つなあ」

「福助の父親は島で患いついて、ご赦免になったあとすぐに死んだ、ゆうのはすぐにわかった。けど、福助は生きてるはずや。島抜けして以来この三月というもの、島で覚えた植木師の仕事をしながらあちこち探し回ったが、なかなか尻尾を見せよらん。

あいつは島帰りやさかい、入れ墨が入っとるはずや。今の世のなか、そんなもんを雇うてやろうという物好きな主もなかろ。どういう仕事をしとるかわからへんけど福助は貧乏のどん底におるに違いない。大坂におるかどうかもわからんが、まずは馴染み深い大坂を捜しとる、というわけや。わしがあの男の顔を見たのはあいつが十五のときやさかい、もう顔立ちも変わってるかもしれんけど、面影は残ってるやろ」

「そのうち見つかるわ」

「わしは、お上に見つかったら島抜けの罪で磔(はりつけ)獄門(ごくもん)や。それでもええ、という覚悟で戻ってきた。福助を殺すことさえできたら満足や。ほんまはできるだけえげつないやり方で始末したいけど、あの世に送れたらええ」

「わても、あの女と旦那の人生めちゃくちゃにすることができたら、地獄に落ちてもかまわんと思てる」

「ええ根性しとるやないか」

「お兄の復讐(しかえし)、わても手伝うで」

「そら心強い」

「けど、まずはわての順番や。とにかく皿が受け出されるまえに盗んでもらわんと」

「わかってる。今夜、やってこましたるわ」

「ああ、頼むで」

「それにしても兄妹どっちも復讐（しかえし）のために生きてるとは因果やなあ」

「ほんになあ」

◇

真っ白な皿のような月が空に浮かんでいる。頬かむりをした男が腰をかがめて山崎屋の裏路地を爪先立って歩いている。夜中に頬かむりをしたり、明かりを持たずに歩いたりするのは本来ご法度（はっと）なのだが、風流人はそういう禁を犯して、居酒屋に行くのに頬かむりをしたり、名月を観賞するのに無灯で散策したりする。しかし、この男はどうやらそういう類（たぐい）ではなさそうである。

海鼠（なまこ）塀に沿って歩いていたかと思うと、裏口に軽く体を当てた。とん、と戸が開いた。鍵がかかっていなかったようだ。男はそのままなかに入った。そして、均等の間隔で植えられた桜の木のあいだをするりすると抜け、隙間を置かずに立ち並んでいる白塀の蔵の鉄砲窓に目をやった。

「へへっ……」

げじげじ眉毛の男は勝手知ったるがごとく八番蔵のまえに足を運ぶと、扉を開けた。なぜか錠はおりていなかった。蔵に入り、火縄に火を点けると、そのかすかな明かりを頼りにある棚にまっすぐ向かった。そこには木箱があった。

「ちょろいもんや……」

男はそうつぶやいて木箱を開け、紙で厳重に包まれたものを一枚取り出して脇に挟むと、ふたたび木箱をもとに戻した。

男は足音を立てることなく蔵を出て、火縄の火をもみ消すと錠をおろし、裏口から路地へ抜けた。歩き出そうとした男のまえを、ひとりの人物が横切った。その顔を見て、猪三はハッとした。

（福助や……！）

猪三は皿を脇に抱えたまま福助を尾行しはじめた。

（とうとう見つけたで……！　えらいええべべ着とるやないか。顔も白塗りにしとるけど、わしの目はごまかせんで。ひひひひ……）

福助は猪三にはまるで気づかぬ様子ですたすたと路地を歩いていく。猪三はふところから匕首を取り出した。

（ずたずたにして殺したる……！）

猪三はにやりと笑った。

はつは山崎屋の暖簾をくぐった。その顔は、これまで見せたことがなかったような明るさだった。

「質草を受け出しにまいりました」

番頭に告げると、

「主みずからお返しすると申しております。すぐに呼んでまいりますさかいすこしお待ちを」

奥へと入っていったが、しばらくして戻ってくると、

「奥の間にてお渡しするそうでおます。どうぞお上がりください」

奥の間には山崎屋魚兵衛が座っていた。彼のまえにはすでに皿の入った木箱が用意されていた。魚兵衛は頭を下げると、

「おはつさま、貴重なお品を長いあいだ手前どもを信用してお預けくださり、ありがとうございました。また、今日まで流さずにきちんと利上げしていただいたこと、質

屋渡世をするものには一番ありがたいお客でおます。こうして受け出しの日が来たことをともに喜びたいと思います」

その言葉には気持ちがあふれていた。

「お預けいただいたときのままお返しいたします。どうぞお持ち帰りを……」

はつははらはらと泣き、

「ありがとうございます。皆さまの温情のおかげで死なずにすみました……」

はつは皿の入った木箱を抱え、

「それでは失礼します」

そう言って部屋を出た。廊下を歩いていると、おりょうが通りがかった。ちらりと木箱に目をやると、

「奥さま、今日は無事にお受け出し、おめでとうございます。どこぞの奇特なお方が百両もの大金をポンと出してくださったそうでおますなあ。けど、なんぞ下心があるかもしれまへんさかい、気ぃつけた方がよろしいで」

「おりょう、なにを言う。あの方はそんなおひとやない」

「そうだすか。それやったらよろしいけど、奥さまは世間知らずやさかい……。――そうそう、お殿さまがお泊まりになるときは、わてもお手伝いさせとくなはれ」

「蔵屋敷は女手が少ないから助かるわ。よろしくお願いします」

はつが店を出たあと、おりょうはにやりと笑い、

（一枚足らんのも知らんと……喜んでられるのも今のうちや。ひひひひひひ……）

心のなかでけたたましく笑った。

翌々日、幸助が朝寝をしていると、

「幸助はおるか」

という声がした。幸助がうっすら目を開けると、近石風太郎が入り口にたたずんでいた。

「おう、入ってこい」

幸助が寝転んだままそう言うと、入ってきた近石の顔色がすぐれない。

「昨日、国から戻ってきたばかりだ。殿は明後日、大坂に着く。舌の肥えた殿のために料理も一流の料理屋に手配した。寝所も大工を入れて新築した。莫大な費用がかかっておる。ぜったいにしくじるわけにはいかんのだ」

「せいぜいがんばってくれ」

　近石は持参した酒樽をそこに置いた。

「なんだ、それは」

「手土産だ。——じつは相談がある。ひとつ難事が生まれた。わしは国許へ赴き、ご城代を通じて殿に茶事の件を問うてみたところ、たいそうお喜びになられ、枯柳庵という茶人は当代稀に見る数寄者だと聞く、その枯柳庵に茶を点ててもらうのは望外のこととこころえる、近石の手柄だのう、とおっしゃったそうだ」

「よいことではないか」

「だが……その枯柳庵殿が見つからぬのだ」

「ほう……」

「大坂のどこかにおいでと聞いてはいたが、手をつくして探しても、まるで手がかりがない。殿はすっかりその気だそうだから、今さらほかの茶人に頼むわけにはいかぬ。そこで、この……」

　近石はひとりの人物を呼び入れた。入ってきたのはいかにも茶の宗匠といった初老の町人で、宗匠頭巾をかぶり、小袖に狐色の十徳を着ていた。

「片山広州殿にお願いして、探してもろうたのだ」

広州という茶人は幸助にぺこりとおじぎをした。幸助はあわてて立ち上がった。近石は、

「広州殿は京大坂の茶人や茶道具などにもお詳しいお方で、此度の茶事もお手伝いいただいておるのだが……どうしても見つからぬそうだ」

つるりとした顔の広州は、

「わたくしは枯柳庵さんとは懇意にしていただいとりまして、たいていは曽根崎村の菊緑寺という禅寺にいてはるのですが、しばらくまえから留守のご様子で、寺のものにきいても行き先がわからぬとか。もしかするとふらりと諸国放浪の旅に出ておられるのかもしれまへん」

幸助が、

「枯柳庵は坊主なのか?」

「はい。臨済宗の禅師でいらっしゃいます。あの御仁は変わり者でなあ、高僧やさかい寺で大きな顔をして座っとりゃええのに、大きな頭陀袋を抱えてうろつきまわり、橋の下や森のなかで野宿することもしばしばやそうな。わたくしが、禅修行のためにそうなさってておられますのか、とおききしても、好きでやってるだけや、こんなことは修行のうちにも入らんよ、といつも言うておられました。物乞いのようなことをな

すっても、富めるものがほどこし、貧しきものが受け取るのはあたりまえ、恥じる必要はまったくない、ただただ『もらえばよい』のや、と……」

大きな頭陀袋という言葉に、幸助はある人物を思い出した。

「そういうお方の点てる茶が、なんともいえずさわやかで飄々とした脱俗の風情がありますのや。それで、いろんなお大名やらお金持ちから茶会に来てほしいというお声がかかるようになりました。嫌がるかと思うたら、本人はまるで気にせんと、貧乏人の茶会もお大名の茶会も同じように引き受ける。ああいうところがわたくしどもには真似のできんところだすな……」

「ふーむ……」

近石が、

「なにかよい思案はないか。この茶事の件はもともとおぬしの発案だ」

「そう言われてもな……」

幸助がそう言ったとき、広州が大声で、

「あーっ！」

と叫び、部屋の隅に転がっていた欠け茶碗を指差した。

「こ、この茶碗は……」

「それは緑雲坊という坊主が置いていったものだ。俺が酔っぱらって蹴飛ばしてちっとばかり欠けてしまったがな……」

広州はその茶碗を震えながら手にすると、

「これは……楽焼の銘品で……ひょっとすると百両するしろもんやないかと……」

「えええええーっ！」

今度は幸助が大声を上げる番だった。広州は、

「今、緑雲坊と言いなはったな。それは枯柳庵さんの別号だっせ！」

「やはりそうか」

近石が身を乗り出し、

「おぬし、緑雲坊殿と知り合いなのか」

「知り合いというほどではないが、一度、溺れているのを救うたことがある。そのあとここで飲んだのだ。そのときあの坊主がこの茶碗を持ち出した。俺にやるというて置いていったのだ」

「居所を知らぬか」

「さあ……ふたりとも泥酔しておったからな。また来るとは言うておったが……」

広州が、

「気まぐれで飄々としたおひとゆえ、いつ来られるかはわかりまへんなあ。明日来るやら、五年後に来るやら……」

そう言ったとき、

「よーう、また来たぞ。酒を飲ませてくれ。ついでに泊めてくれ」

と言って頭陀袋を引きずりながら入ってきたのは、当の緑雲坊こと枯柳庵ではないか。相変わらず無精ひげを生やし、ぼろぼろの僧衣を着ている。

「なんじゃい、鳩が豆鉄砲食ろたみたいな顔して……おやおや、広州さんもおられる。この絵描きと知り合いかな」

広州は、

「さ、さっきはじめて会いましたのや。それにしてもこんなことあるやろか。枯柳さん、あんたをどれだけ捜したことか……。大坂中の寺や居酒屋、茶道具屋にきいてまわったけどわからなんだのが、そちらから飛び込んでくるとは……。どちらにおられた？」

枯柳庵は長く伸びた無精ひげをぼりぼり掻きながら、

「ふと思いたって、奈良で鹿と遊んどりました。あいつら角で突いてくるから困る。衣がびりびりになってしもた。――で、なんでわしを捜していたのかな？」

近石風太郎が進み出て、一連のことを説明した。

「なるほどなるほど……。わしみたいなもんの茶を飲みたい、というひとがおられるならば、相手が公方さまであろうと帝であろうと貧乏人であろうとヤクザや盗人であろうといくらでも点てましょう。だが、そのお殿さまに遠慮したり忖度（そんたく）したりべんちゃらを言うたりすることは一切ないので、それでよかったら……」

「かまいませぬ。枯柳庵殿の言動に関する一切の責はわしが取ります。存分（ぞんぶん）にふるもうてくだされ」

「ならばお引き受けしよう」

あっさりと話は決まった。枯柳庵はどっかりと座り、

「飲みに来たのだ。酒はあるかな」

幸助はうなずき、

「ある。たった今到来したばかりだ」

「ならば四人で飲もう」

しかし、近石は、

「残念だが、われらは明後日の支度がある。枯柳庵殿が見つかったことも急いで皆に知らせねばならぬ。名残（なご）り惜しいが今日は失礼する。――幸助、此度のお泊まりの件

が終わったら、今度こそゆっくり飲もう」

「近石、俺もあの十牛図をしばらくぶりに見てみたい。明後日、こっそり見せてもろうてもよいか」

「もちろんだ。殿のご一行が到着するのは夕刻だ。そのころ蔵屋敷に来てくれ。殿のまえで封を解いたあとなら見てもらえるぞ」

　そう言うと近石は広州とともに早足で出ていった。

「またわしらふたりか。飲む分が増えて好都合だわい」

　枯柳庵はあぐらをかいて座り、独酌で飲み始めた。幸助はも負けじと茶碗酒をあおりながら、

「しかし、驚いたぞ。あんたが名高い茶人とは知らなかった」

「名高いとか、そんなたいそうなものではない。酒を飲むのと同様、茶を飲むのが好きなだけだ。美味い茶は自分で点てるのが一番だからな」

「大名のために茶を点てるなどお断わりだ、と言うかと思うたが……」

「禅には『喫茶去（きっさこ）』という言葉がある。知っておるか？」

　幸助はうなずいた。ある禅師が寄宿していた寺をひとりの雲水（うんすい）が訪れた。禅師は『まえにもこの寺に来たことがあるか』『ございません』『ならば茶を飲んでいきなさ

れ』……すぐあとにべつの雲水が来た。禅師は『まえにもこの寺に来たことがあるか』『ございます』『ならば茶を飲んでいきなされ』……やりとりを聞いていたその寺の住職が、まえに来たことがあるものにもないものにも『茶を飲んでいきなされ』とはどういうことだろう、とたずねると禅師は『ご住職！』『はい』『茶を飲んでいきなされ』……こういう問答のことである。

「わしは、相手がどこのだれであろうと『茶を飲んでいきなされ』の気持ちでいつも茶を点てている。それだけだ」

「ほほう……」

かなり酔ってきた幸助は感心したが、そのときたいへんなことを思い出した。

「そうだ！　あんたが置いていった茶碗だが……さっきの広州という御仁が、百両の代物（しろもの）だと言うていた。まことなのか」

「ああ、それぐらいで買いたいというものもおるであろうな」

「はじめに言うてくれれば大事に扱（あつこ）うたのだ。欠いてしもうてあいすまぬ」

「ははは……おまえは百両の茶碗だから大事にし、一文の茶碗だから乱暴に扱うのか？　茶碗は茶碗だ。茶を飲むための道具にすぎぬわい。申したであろう。形あるものはかならず壊れる、となる。わしにあの茶碗を惜（お）しむ気があったら、頭陀袋に放り込んでずるずる引っ張って歩いたりはせぬ。あれはたしかどこかの金持ちが、茶を点てた礼としてくれたものでな、酒や茶を飲んだりするのにちょうどよいから持ち歩いていたのだ」

「百両のものをか……」

「完璧なものが良いとはかぎらんぞ。欠けたり、割れたりしたものにも良さがある。欠けてしもうた茶碗を漆でつなぎ、つなぎ目に金を使うことで、まるで違ったものとして蘇らせるという『金継ぎ』というやり方もある。わしはそんな面倒くさいことはせず、欠けたら欠けたまま使うがな」

「なるほど……完璧なものが良いとはいえぬ、か……」

「『名月』といえば満月のことだが、欠けた月……三日月や半月はその欠けたるところが面白く、また、美しい。この世は破綻であふれておる。完璧であろうとしても日々なにかしら破綻が起きる。それをあるがままに受け入れるのが禅なのだ」

　幸助は、最初に会ったとき、枯柳庵が池の月を取ろうとしていたことを思い出した。

「あまりにも使いやすく便利な道具よりも、少々使いにくいものの方が面白い、という考え方もある。使いにくさを楽しめばよい。だが、これもまた『欠けている方がよい』となると行き過ぎだ。風流心からわざと茶碗を割って、金で継ぐ、というのは感心せぬ。——や、これはわしとしたことがとんだ説教をしてしもうた。ははは……もうやめよう」

照れ隠しにか枯柳庵はがぶがぶと酒を飲み、頭陀袋を枕代わりにしてごろりと横になった。

「ああ、酔うた酔うた。わしは寝るぞ。おやすみ」

「ちょっと待て。あんたにききたいことがあるのだ」

「なんだ。わしはもう眠い」

目を閉じてしまった枯柳庵に幸助は、

「このまえここに来たときに俺の十牛図を破り捨てて、『画に俗気あり』と書いた紙を置いただろう。あれはどういうつもりだ」

枯柳庵はうっすら目を開けると、

「おまえの絵を見ていると、これを描いてほめられたい、という気持ちが感じられてならなかった。良い絵を描こう良い絵を描こうという思いが伝わってきたのでな、破ったらそれがなくなるかと思うて手伝うてやったのだ。あの絵はどうした」

「破れた絵など捨てた」

「ははは……そうか。あの十牛図は破れて完成、と思うたが惜しかったな」

「破れて完成だと……。たしかに俺は、良い絵を描いて父親の十牛図を超えたい、という気持ちがあったかもしれぬが……」

「それが俗気なのだ。だれかを超えるとか、そういう考えはつまらん。相手が父親でも師匠でも競争相手でも超える必要はない」

「では、どうすればよい」

「わが道を行け」

そう言うと枯柳庵はいびきをかいて寝てしまった。幸助は酒をがぶりと飲んで、考え込んだ。老人姿のキチボウシが絵から抜け出してきて、

「やっと寝たか。我輩の分は残っておるだろうな」

「まあな……」

幸助は腕組みをしながら考え込んだ。キチボウシは酒を飲みながら、

「破れた絵の方がよい、などと言うやつは頭がおかしいぞよ。我輩の掛け軸をこやつが破ったら、八つ裂きにしてくれる」

「うーむ……」

幸助は唸（うな）りながら寝転んだ。

◇

そして、ついに殿さまが大坂の蔵屋敷に到着する日になった。「殿さま」では話を進めにくいので「淡路守（あわじのかみ）」と役名だけ明かしておこう。早朝、まだ暗いうちから近石風太郎はいやがうえにも張り切って、支度に大わらわだった。迎えるのは蔵屋敷に勤める家士たちのほか、大坂で雇われた奉公人たちであったが、数が足らぬ。それゆえ近石は、旧知のおりょうが手伝いを買って出てくれた、と知って、

「猫の手も借りたいほどの忙しさでな、すまぬがしっかり働いてくれ」

と言った。

「へえ、また旦那さまのお役に立てるやなんてうれしゅうございます。うちの旦さんからも、旧里で世話になった店のことならば、と快うお許しをいただきました」

夕刻、殿さまの宿所となる御殿の掃除もとどこおりなく終わり、料理屋から料理が運ばれてきて、湯殿に湯も沸いたところへちょうど淡路守の一行が到着した。もちろんたいへんな人数の同行者をすべて蔵屋敷に泊めるわけにはいかないので、ほとんどのものたちは市中の旅籠（はたご）、寺などに分宿してもらうことになり、その案内がまたたい

へんではあるのだが、それは担当のものたちに任せておけばよい。留守居役である近石たちは淡路守の側近く仕える中小姓たちとともに、蔵屋敷に宿泊する約五十人の世話だけに集中すればよい。茶事に出席するのはそのうちの五、六名である。

「早う早う……！　湯がさめぬうちにご入浴いただけ！」

近石は皆を叱咤した。まずは殿さまに湯浴みをしてもらい、旅の汗と埃を落としていただき、小ざっぱりとした着物に着替えてもらってから、いよいよ茶事となる。近石はこのときのために国表と大坂を往復して苦労を重ねてきたのだ。幸助は、近石の邪魔にならぬよう陰から見守っていた。徳太郎とるいも一緒である。幸助にとって淡路守はかつて仕えていた主君にあたるわけだが、久しぶりに顔を見て一片のなつかしさも感慨もなく、ただただ鬱陶しいだけだった。

そこへ枯柳庵が現れた。泥酔こそしていないが相変わらずぼろぼろの僧衣のままである。近石が、

「当方で着替えを用意してございます。どうぞお着換えくだされ」

「このままでよい」

「いや、しかし、それでは殿の御前であまりに、その……」

「こちらの殿さまがまことに数寄者ならば、この身なりも愛でてくれよう」

「それはそうかもしれませぬが、万が一……」

「よいよい。気にするな気にするな。あっはははは……」

そんな裏事情も知らぬ淡路守は広間にどっかりと座り、部屋のあちこちを見やっている。にわかに周囲の緊張が高まった。

「殿のご尊顔を拝したてまつり、恐悦至極に存じ上げたてまつります。当蔵屋敷をお預かりしておりまする近石風太郎めにございます」

近石は殿さまのまえに平伏した。

「そちの此度の骨折りうれしく思うぞ。今日も早朝から長き道中で疲れたわい」

「旅のお疲れを拭うべく、茶事を執り行いたく存じまする。懐石は上方随一と名高き浮瀬より最上の料理を取り寄せてございます。また、亭主役は枯柳庵殿にお願いしてございます」

「うむ……余も評判の枯柳庵殿の点てる茶、喫するのを楽しみにしておる。どのような御仁かな」

「ははっ……それがその……なかなかの風流人にて……」

「ほほう、さぞかし侘びた茶を飲ませてくれよう」

近石は、淡路守が枯柳庵の外見に怒りだすのではないか、と思ったが今更どうにもできない。

　その後、場所は茶室へと移った。中庭にしつらえた小さな建物ではあるが、御殿から渡り廊下で行ける。すでに重役たちが並んでおり、淡路守は正客の座に着いた。そこへ枯柳庵が現れた。あいかわらずぼろぼろの着物のままである。淡路守がどういう反応をするか、と一瞬、一同に緊張が走ったが、

「枯柳庵と申すものにございます。本日は茶を点てにまいりました」

　淡路守は相好（そうごう）を崩し、

「おお、これはこれは……。わざわざお越しいただきかたじけのうござる」

「いえいえ、淡路守殿も長旅でお疲れでござろう。くっ……と喉が鳴るような茶を進ぜましょうほどに」

　隣室には、幸助、徳太郎、るいたちがひそかに聞き耳を立てていた。そこに、にやにや笑いながらおりょうが来た。幸助は、

「あんたがおりょうさんか」

　おりょうはじろりと幸助を見て、

「あんたはだれや」

「近石の知り合いだ」

「さよか。わては今からここで面白い見世物がはじまる、ゆうさかい来てみたのや」

「そうか。そいつは楽しみだな」

主客の座に淡路守が座ったとき、近石の妻はつが桐の箱を捧げ持って現れた。淡路守はにっこりして、

「おお、はつ殿ではないか。久しいのう」

はつは箱を淡路守のまえに置き、後ろへさがった。近石が、

「これなるはわが父に殿から賜ったる十牛図の皿でございます。近石家の家宝として、軽々しくなかを見てはならぬとのお言葉に従いまして、殿から授かりましたるときのまま、なかを見ることもなくただ今まで保管してございました。本日、殿のご賞玩（しょうがん）に供すべく、持参いたしました」

「大儀である」

淡路守はそう言うと、蓋を開けた。そして、

「中身を検めよ」

はつが皿を一枚ずつ取り出し、包み紙を外して、淡路守のまえに並べた。並べながら、はつの顔色が次第に青くなっていった。

「お、おかしゅうございます。一枚、二枚、三枚……」

皿の数を数えはじめた。幸助も、ふすまの隙間からのぞきながら目で数を読んだ。たしかにそこには九枚しか皿はないようだ。はつは涙目で、

「四枚、五枚、六枚、七枚、八枚、九枚……」

淡路守はそんなはつを冷ややかに見つめている。

「もう一度数えます。一枚、二枚、三枚……」

おりょうが笑い出した。

「いっひっひっひっ……ええ気味や。これで胸がすーっとしたわ。わてはこのときのために今まで泥水飲んで生きてきたのや」

その顔はまるで鬼のようだった。

「なんぼ数えても九枚しかないで。わてのお兄が蔵から一枚盗み出してくれたのや。あーはっはっはっはっ、愉快愉快。こんなおもろいことないわ。これこそほんまの『皿屋敷』。わてのことを告げ口した報いや」

おりょうは隣室にも響くほどの大声で高笑いした。幸助は首を傾げながらおりょうに向かって、

「やはりおまえの仕業だったか……しかし、おかしいな。おまえの兄の病葉の猪三が山崎屋から盗み出したその一枚は、俺が取り戻して、山崎屋に返したのだが……」

「だから、皿は十枚そろっているはず……。まさか、山崎屋が箱に戻すのを忘れたのか……」

「な、なんやて……?」

「あ、あんた、なにものや!」

「俺は、近石風太郎の親友だ。病葉の猪三は、俺が捕えて、ある場所に閉じ込めてある。おまえにもずっと目をつけていたが、とうとう尻尾を出したな。今からおまえも兄のところへ連れていってやろう」

「はは……もう遅いわ。皿が九枚しかないことは、もうお殿さまにバレてしもた。あの女も旦那さんもこれでおしまいや」

そう言い捨てて逃げようとしたおりょうを幸助は難なく押さえ込んだ。幸助は脚をひょいと出した。つまずいて転倒したおりょうのまえに幸助は難なく押さえ込んだ。隣室では近石が、

「はっ、なにを泣いておるのだ。殿の御前だぞ」

そう叱るとはつは、

「なれど……皿が一枚足りませぬ!」

「なんだと?」

「いくら数えても九枚しかないのです」

それを聞いた淡路守はじっとはつの泣き顔を見つめていたが、やがてからからとうち笑った。

「はつ殿、なにを申す。皿はもともと九枚しかないのだ」

「えっ……」

近石も、

「知らなかったのか？　この『十牛図』ははじめから九枚なのだ」

聞いていた幸助もおりょうも仰天（ぎょうてん）した。

「余が御用絵師だった葛鯉井に十牛図の絵皿を作るように命じたところ、できあがったと申して鯉井が持ってきたのは九枚だけであった。もう一枚は、と余がたずねると、あやつめ、にやりと笑うてな、一枚目の『尋牛』をひっくりかえしよった。そこに、十図目であるべき『入鄽垂手（にってんすいしゅ）』の絵が描かれていた」

「それはなにゆえ……」

すると、隣にいた枯柳庵が、

「ふーん、なるほど。十牛図のはずが九枚というのは洒落（しゃれ）ておる。わしの知り合いに十枚一組の高麗皿のうち一枚を割ってしまい、十枚揃うてないと値打ちがない、と言うて、残りの九枚全部割ってしもうた男がいたが、馬鹿なことをするものよ。揃うておらぬ、欠けたるものの良さを味わえばよい。これを作った絵師、最初からわざと九枚にした、というのは、侘び茶の精神をわかっておられたようだな。月は望月（満月）だけが尊いのではない。三日月も半月も、真っ暗な新月も、どれも『良き月』ではないか」

淡路守は、

「これを作ったものは、絵師ではあるが余の良き相談相手でな、いつもずけずけと余の政にケチをつけておったが、洒落ものでもあり、柳が風に逆らわぬがごとく飄々たる人物であった。こちらが絵に注文をつけると、おのれの描きたい絵とこちらの注文をどちらも生かし、さらりと描いてくれた。この絵皿は余のお気に入りであったがこれなる近石風太郎の父親が、飢饉の年に余に逆ろうて城の備蓄米を勝手に放出し、大勢の民の命を救うたほうびに与えたのだ」

「淡路守殿はよき家臣にめぐまれておるようですな」

「大名などというものはハリボテだ。まわりでよき家臣が支えてくれぬとすぐに取り潰されてしまう」

その会話を聞いていた幸助は、

「そうだったのか……親父はわざと九枚に……」

「十牛図」といわれるとだれしも十枚だと思う。そこを逆手に取った趣向だったのだろう。最初から十枚そろっていなければ、いくら割れても歯抜けにはならぬ。感心した幸助が思わず唸ったとき、隙を見つけたおりょうが幸助の手を振り解き、ふところから匕首を取り出してるいに突き付けた。幸助が、

「幼い娘になにをする！」

「こうなったらやぶれかぶれや」

おりょうは隣室とのあいだの襖を開いた。淡路守以下全員の視線がおりょうとるいに集中した。おりょうの手に匕首が光っているのを見た家臣たちは立ち上がり、淡路守を守るためにまえに出た。おりょうは淡路守には目もくれず、はつに向かって、

「おい、奥さま、わてはあんたに復讐するためにずっと機会を待ってたのや。この子の命が惜しかったら、わてと一緒に来い」

「おりょう……なんであんたこんなことを……」

「あんたが憎かったのや。わてが盗みを働いたことを旦那さんには黙っててほしい、て頼んだらあんたも、わかった、て言うたのに告げ口したやろ。つぎの日、わては旦那さんに呼ばれて、クビになってしもた。理由をきいても教えてくれへんかったけど、ぜったい盗みのことをあんたが言うたにちがいない。あんたは嘘つきや。わてははら

わたが煮えくりかえった。いつかあんたをひどい目にあわせたろ、とそれだけを思て生きてきたのや」

「なにを言うのです、おりょう。私は告げ口など……」

「ほな、旦那さんがなんでわてがやったことを知ってるのや！」

近石がゆっくりと、

「わしも見ていたからだ」

「――えっ？」

「ときどき手文庫の金がなくなるので、気を付けておったのだ。おまえがひとりではつの部屋に入ったゆえ、反対側の部屋からのぞいておると、おまえは家内の櫛を盗もうとした。おまえは家内に見つかり、出来心だと言い訳していたが、手文庫の金は何度も盗まれている。だから、わしはおまえを解雇したのだ。家内からはなにも聞いてはおらぬ。あのときわしがことを荒だてずに見過ごしてやったことで改心してくれたと思うておった。それゆえ此度の手伝いの申し出をありがたいと思うて受け入れたのだが……」

近石は悲しげにそう言った。

おりょうは顔を歪めると、

「ひとの本性は変わらんもんや。残念やったなあ」

淡路守が座ったまま、

「おりょうとやら、余のまえで傍若無人なふるまいをいたすな。控えおろう」

「うるさいわい、腐れ大名！」

「な、なんだと……！　無礼者！」

「もうええ。わてもお兄もどうせ死罪や。この場でこの娘を殺してわても死んだる！」

おりょうは左手でるいの腕をつかみ、右手で匕首を振り回しながら座敷のなかで大暴れをはじめた。その鬼女のような形相に、皆は近づくこともできなかった。重役のひとりがおろおろしながら近石に、

「殿が危ない。あの子どもごと、あの女を斬ってしまえ！」

そう命じた。近石の顔がこわばった。淡路守が、

「たわけ！　そのようなこと、してはならぬ。子どもはなにがあっても助けるのだ！」

そのとき、徳太郎が後ろからおりょうに近づき、その左手に嚙みついた。

「ぎゃあっ！」

おりょうはるいを放したが、振り向きざま、匕首を徳太郎の腹に突き刺そうとした。間一髪、箒をつかんで部屋から飛び出した幸助がその箒を槍のように繰り出し、おり

ようの身体を突き飛ばした。おりょうは向きを変え、匕首を持ったまま淡路守に向かって突進した。近石が、淡路守のまえに立ち塞がり、匕首の刃の部分を素手でつかむと、むりやりもぎとった。指のあいだから血がしたたり落ちている。おりょうはその場にへたりこみ、号泣しはじめた。近石は淡路守に、

「お見苦しきものをお目にかけ、平に……平にお許しくだされ」

重役が居丈高に、

「近石、殿を危うき目に遭わせるとは許されぬ　さがれ！」

しかし、枯柳庵が大声で、

「近石殿が身を挺して守ったからこそ、殿さまは怪我ひとつせず無事だった、とも言えますな。――そうではございませぬか、淡路守殿」

「そういうことだ。近石、ハリボテをよう救うてくれた。礼を言うぞ」

そして、幸助に顔を向けると、

「葛幸助、久しいのう」

幸助は仕方なくその場にひざまずき、

「久々に殿のご尊顔を拝し……」

「ふふふ……心にもないことを申すな。今日は余の顔を見にきたのか」

「いえ、この皿を……」

「そうか。そちの父が描いたものだからな。見て、どう思うた？」

「はじめから九枚だったとは驚きました。まだまだ父を超えられぬようです」

幸助は素直にそう言った。枯柳庵が、

「父親を超える必要はない。自分の道を行けばいいのだ」

幸助はうなずいた。淡路守が、

「見よ。この女が暴れまわったせいで、皿はほとんどが欠けたり割れたりしてしまった。残念ではあるが、それも風情と思えばよい。しかし、料理皿としては使いにくい。

――葛、もう一組、『十牛図』の絵皿を作れ」

「――え？」

「よもや余の依頼を断るのではあるまいな」

幸助はしばらく考えていたが、

「お断わりいたします」

「なに……！」

淡路守は気色ばんだが、

「割れた皿は近石風太郎がもの。近石の依頼ならばお引き受けいたします」

淡路守は憮然として、

「だんどりがめんどくさいのう。——近石、ならばおまえが頼め」

近石は、

「幸助、わしのために十牛図の絵皿、作ってもらいたい」

「承知した」

淡路守、幸助、近石の三人は笑い合った。割れた皿は片づけられ、茶事がはじまった。別室に移ったはつが夫の手の怪我の手当てをしていると、るいが言った。

「母上さま……母上さま、私、思い出しました！」

「なにを？」

「さっきのおばちゃんのこと。あのひとが私をかどわかしたのです」

「どうしてそう思うの？」

「あのときはずっと眠っていて、なにも覚えていなかったように思っていましたが、一度だけ、目のまえにひとの手があったことを思い出しました。その中指が人差し指より短かったのです。さっきのひともそうでした」

近石がはつに、

「かどわかしとはどういうことだ」

「ええ……明日、殿さまがご出立なさったあとで申し上げるつもりでございましたが……」

「うむ、それでよい。いろいろと聞かねばならぬことがあるようだな」

近石は笑った。はつも、

「はい」

と明るく応えた。

◇

「これで一段落やな」

お福が幸助に言った。ふたりは幸助の長屋で昼酒を飲んでいるのだ。お福は首に包帯を巻いている。酒はお福が持ってきた上酒である。肴もするめのほかにメザシ、焼き味噌、煮豆、焼き豆腐……などが並んでいる。この家での酒宴にしてはなかなかのぜいたくである。

「うむ……あとは俺が絵皿を描けばよいだけだが、これは急がずともよい」

開け放った戸口からはちょうど月が見える。お福が、

「じつはな貧乏神、今日はあんさんに聞いてもらいたい話があって、ちょっと酒肴をはりこんだのや」

「あらたまって、なんだ」

「ずっと言いそびれてた。あんさんとこうして付き合いするなかで、それが喉に引っかかっていて苦しゅうてたまらんかったのや」

　そう言ってお福は酒をぐび、と飲んだ。

「べつに言いたくなかったら言わなくてもいいのだ。おまえと付き合っていくうえでおまえの昔のことなどどうでもよいのだから」

「そらそうかもしらんけど……言いたいのや。あんさんに軽蔑されるのは怖いけどな」

「俺はどんなことがあってもおまえを軽蔑したりせぬ。はつ殿を見たか。おまえが金を渡したあと、急に顔が溌剌（はつらつ）としはじめた。人の世は金、金、金……金さえあればなんでも解決できる、というようなおまえの態度をはじめて会うたときは軽蔑したが、今はそう思わぬ。金がひとを助けることもある。お福がおらず、俺しかいなかったら、俺には百両は工面（くめん）できぬ。はつ殿は死んでいただろう」

　お福はしばらく無言で盃を重ねていたが、やがて、自分の着物の袖をまくりあげた。

腕にも白粉が分厚く塗られている。お福は濡れ手拭いでその白粉を落とした。そこには二本の線が刻まれていた。

「わたいはこのとおり、島帰りやねん」

　幸助は眉毛一本動かさなかった。

「わたいが顔を白塗りにしてるのは、腕にも白粉を塗って、この二本の筋を消したいからや」

「そう言えばあのとき、病葉の猪三は『おまえと島で会うたとき……』と言っていたな」

「そや。それはほんまのこっちゃねん……」

　病葉の猪三が山崎屋から皿を一枚盗み出したときのことである。彼は、お福に気づき、あとをつけた。そして、お福が行き止まりの路地に入り込んだとき、匕首を抜き、斬りつけようとした。その瞬間、お福はくるりと振り向いて、

「猪三さん、久しぶりだすな」

「な、なに？」

「わたいが親父と一緒に島を出て以来やさかい、もうずいぶん……十五年にもなりますかなあ。あの島ではえろうお世話になりました」

「なに抜かす。おまえを殺(や)りたい一心で島抜けしてきたんじゃ。この三月(みつき)というもの、大坂中を探し回ったが……そっちから出てくるとは手間が省けたわい」

「のほほほほ……今晩あたり、あんたが山崎屋に来るのやないかと思うて見張ってたら案(あん)の定(じょう)やったな」

「なんでそう思たんじゃ」

「あんたは山崎屋で働いてるおりょうという女の兄やそやな。それで、もしかしたら……と思たのや。わたいの姿を見たらかならずつけてくる、と思て、わざとまえを横切ったら、案の定食いついた」

　猪三は舌打ちして、

「ようもわしを売りやがったな。もうちょっとでご赦免になる、ゆうところをおまえが密告(さ)したせいでわしは『終生遠島』になってしもた」

「なんでわたいが密告した、てわかったのや」

「金の隠し場所知っとるのは、わしと妹とおまえだけや。妹からの手紙で、隠し場所に行ったら町奉行所の役人が来てて、金を掘り出しとった、て書いてあった。おまえしかおらんやないか」

「あんたがわたいを殴りつけて、わたいは聞きとうなかったのに勝手にぺらぺらしゃべったのやないか。耳が汚れたわい」

「おまえが先にご赦免になる、て聞いたから、相棒にして、金を隠し場所からよそへ移させようと思たんや。まだガキやったから、おどかしたら言うことききくと思たのに、裏切りよるとはな……。けど、このことはだれにも言うな、盗人の仁義やぞ、て言うたはずやぞ。約束は守らんかい」

「約束した覚えはないし、わたいは盗人やない」

「じゃかあしい！」

猪三はお福に斬りかかった。お福は身体を反らせて軽くかわし、猪三の横面を張り飛ばした。猪三は匕首を構え直して何度も斬りつけたが、お福はそのたびに右へ左へとかわし、猪三をひっぱたいた。

「あかん、顔が持たん……」

猪三が逆方向に逃げ出そうとすると、突然、横合いの暗闇から伸びてきた手が猪三の手首をつかみ、ぐいと反対側に曲げた。

「痛たたたた……なにするのや！」

猪三は激痛に思わず皿を取り落としたが、その手はひょいと皿をつかみ、

「危ないではないか。割れるところだったぞ」

「なにい？」

月明かりのなかに浮かび上がったのは痩せこけた浪人だった。

「質屋の用心棒にしては貧相やな」

「俺は用心棒ではない。葛幸助という絵師だ」

「知るかっ、どけ……！」

お福が、

「貧乏神、こいつだけはわたいひとりでやらなあかんのや。手ぇ出さんといてくれ」

幸助はうなずくと後ろに下がった。猪三はお福に向き直ると、

「死ねっ」

そう叫びながら匕首を持って名前のとおり猪のように突進したが、福助は身じろぎもしない。匕首の先端がお福の首筋を切り裂いた。同時に、お福は猪三の右腕を丁と打った。猪三の手首の骨が砕け、手から匕首が落ちた。

「お福！　大丈夫か！」

幸助は駆け寄った。お福の首からは血が噴き出している。幸助は手際よく血止めをした。

「大丈夫や、心配いらん」

お福はそう言った。猪三は顔を歪ませると、

「くそったれ！　あとちょっとやったのに……」

幸助は猪三の鳩尾に拳を叩き込み、猪三は気絶した。目覚めたとき、猪三は会所の仮牢にいた。そこで再会したおりょうとともに彼は町奉行所に引き渡された。おそらくは両人とも厳罰に処せられると思われた……。

「わたいの親父は、三津寺筋で小さな米問屋をやっとった」

お福は話し始めた。

「奉公人の人数は全部で四、五人で、わたいも親父を手伝うて働いてた。十六、七年もまえのことや。小さいながらも商いは順調やったが、あるときとんでもないことが起きた。親父とわたいに盗人の疑いがかかったのや。商いのことで同業者と揉めてて、そいつがお奉行所に、あの親子は米屋を表稼業にしながら、裏では盗人を働いてます、て言いつけよった。奉行所はろくに調べもせんとわたいと親父を召し捕って、天満の牢に放り込んだ。どうやら吟味役の同心に鼻薬が効かせてあったらしゅうて、わたいらは島送りになってしもた。親父は何べんも、再吟味をお願いします、わしらは無実だす、と訴えたけどお取り上げにはならなんだ」

「めちゃくちゃだな」

「金の力で正しいことが捻じ曲がる、ゆうことがはじめてわかった。金というのは恐ろしいもんやなあ。わたいらは腕に入れ墨を入れられて島に送られた。そこで出会うたのが病葉の猪三や。猪三は、五百両という金を豪商の蔵から盗んだ咎で召し捕られたのやが、いくら笞打ちや石抱きなんぞの拷問を受けても、知らぬ存ぜぬで押し通し、その金の隠し場所を白状せん。とうとうえげつない海老責めにまでかけられたが自白しない。自白がないと罰を課することができんから、島送りになったのや」

「十両盗めば首がとぶのだ。自白したらおしまいだからな」

「猪三は、島ではおとなしゅうしてた。なんとかご赦免になろうと思うてたのやろな。おんなじ石切り場で働いてたわたいに近づいて、いろいろと親切そうにふるもうた。おためごかしなことを言うてたかと思うと、突然、怒鳴りつけたりして、まあ、わたいもまだ十五歳でおぼこかったさかい、そうやって自分の意のままに動く手下にしようとしたのやろな」

「なるほど……」

「わたいと親父は罪が軽かったさかいご赦免になることになった。そのとき、猪三はわたいをこっそり呼び出して、おまえだけに五百両の隠し場所を教えるが、そこではそのうちバレるかもしれんさかい、娑婆に戻ったらその金をよそに移してほしい、て言うてきよった。わたいは嫌がったけど、盗人の仁義や、ゆうてむりやり押し付けてきた。わたいらは無実の罪や、盗人やない、て言うたが聞き入れよらん。言うこと聞かなんだら殺す、て脅しよった。わたいと猪三が揉めてたら、あいだに入った親父を猪三がさんざん殴りつけたのや。おかげで親父は患いついてしもた」

「ひどいやつだな」

「わたいと親父はなんとかこっちに戻ってこられたけど、親父は患いついたままや。でも、米屋はとうに潰れてるし、島帰りのもんにまともな仕事はない。薬代にもことかいてるときに、わたいは町奉行所に呼び出されて、当時のお奉行さんに、おまえらの罪、あれは濡れ衣やったとわかった、と言われたのや。なにを今更……ゆうやっちゃ。腕の入れ墨は消えんし、まわりのものもわたいらのことを『島帰り』という目でしか見ん。なんぼ『あれは濡れ衣やった』て言うたかて信用してもらえん。町奉行は、まちがった裁きをした罪滅ぼしに金をやる、と言いよった。けど、猪三から島でいろ聞いてるはずやから金と引き換えにそれを教えろ、て言うのや。つまりは金の隠し場所を言え、ていうこっちゃ。わたいは、最初は拒んだけど、親父は日に日に弱っていく。薬代がいるさかい、とうとう教えてしもた」

「おまえは悪くない。猪三とその奉行が悪いのだ」

「けど、後味はようないがな。ひとを売って金をもろたようなもんや。ああ、金が仇の世の中やな……と思た。ほどなくして親父は死んだ。わたいは残った金を思い切って全部、堂島の米相場に突っ込んだ。もともと米屋やったさかい、米相場師の鑑札は持ってたのや。それがいきなり大当たりした。それで……話ははしょるけど、今のわたいがあるのや。いっぺん儲かりだすと金ゆうものはなんぼでも儲かる。やりとうないけど大名貸しもしとる。今の財産は何億両あるのか自分でもわからん。わたいは、わずかな金と引き換えに盗人の秘密を町奉行所にしゃべったことを後悔して、盗人たちのうちで困窮しとるものには金を渡してた。罪滅ぼしのつもりやったのやろな。けど、そのうち相手が盗人やなくても誰にでもむやみやたらと金をばらまいて、無駄遣いすることにした。そうすることで、金なんかに意味ないのや、しょうもないもんや、という気持ちを表したつもりやった。けど……だんだん金に意味はないことはない、と思うようになった。おはつさんみたいなひとを助けることがでけるからなあ」

「そうだな」

「わたいは、猪三を裏切ったことがずっと後ろめたかったけど……どうやらふっきることができたようや。貧乏神、こんなわたいでも今まで通り付きあうてくれるか？」

「当たり前だ」

幸助は一言だけ言った。ふたりはにこにこと笑い合い、酒を酌み交わした。

「わたいは船場の米問屋でな、名前は……」

「おっと、それは聞かずにおこう」

「なんでや」

「お福、おまえは俺にとっていつまでも正体のわからぬ不思議な男でいてほしいのだ」

「あっはははは……それもそやな」

　そのとき、

「幸助はおるか」

　入ってきたのは近石夫婦と徳太郎、それにるいだった。手に包帯をした近石風太郎は酒樽を下げており、

「いろいろ世話になったが、われらは国許に戻ることになった。ゆっくり酒を飲みたかったが、またの機会にしよう」

「うむ。生きているかぎりそのうちまた会えるだろう」

「はつからなにもかも聞いた。わしが気づいてやれず、ひとりで苦しんでいたと知って、情けなく思うたが、これからはどんなことでも隠さず打ち明け合うと約束をし

た」

　そう言って近石とはつは見つめ合った。

「それはよかった」

　幸助が大きくうなずいたとき、

「びんぼー神のおっさーん！」

　明るく大きな声が響き渡った。

「びんぼ神のおっさん、いてはりまっかーっ。びんぼ神のおっさん……びんぼ神、びんぼ神！」

「弘法堂」と染め抜かれた前垂れをした亀吉が入ってきた。近石は大笑いして、

「おまえは貧乏神などと呼ばれておるのか。なかなかぴったりのあだ名ではないか」

　亀吉は、

「あっ、お福さんもいてはる。いつもながら仲よろしいなあ。徳太郎くんとおるいちゃんも……千客万来だすなあ。――今日は筆の材料持ってまいりました。よろしゅうお検めを！」

　そう言って亀吉は風呂敷をほどいた。徳太郎とるいが、

「亀吉殿、われら両名、両親とともに国許へ帰ることになりました」

「そうやったんか。あの……あの……皿屋敷の一件はどないなった？」

「なんのことです」

「あのおるいちゃんがかどわかされたとき、皿屋敷にいた、て言うてた一件や。怖いけど、気になって気になって……」

幸助がふと気づいて、るいの顔を見ながら、

「もしや『桜屋敷』と言おうとしたのではないか？　皿屋敷と蔵屋敷……ふたつ合わせると桜屋敷となる」

るいはハッとして、

「そういえば……桜を見たような覚えがございます」

幸助は、

「山崎屋の敷地にはたくさんの桜が植えられている。その桜が記憶に残っていたのだろう」

はつが、

「では……るいは山崎屋さんに……」

「おそらく空いた蔵にでも押し込められていたのだろう。おりょうも大胆なことをしたものだな。自分が奉公していた質屋の蔵に子どもを入れて、そこに金を借りにいか

せるとは……」

幸助は心のなかで、まるで十牛図のようだ、と思っていた。ひとは仏性を外に探し求めるが、しまいにはおのれのなかにもともと仏性が備わっていたことに気づく、というのが十牛図の結論だからである。

「なーんや、わてはまた、皿が九枚しかないさかいに死んだお菊さんの幽霊の仕業かと思た」

亀吉が言うと幸助は、

「いや、亀吉……皿はもともと九枚なのだ」

「え……?」

亀吉はきょとんとして幸助を見た。

この作品は徳間文庫のために書下されました。

徳間文庫

# 貧乏神あんど福の神
# 秀吉が来た！



2023年6月15日 初刷

著者 田中啓文

発行者 小宮英行

発行所 株式会社徳間書店

東京都品川区上大崎三－一－一 〒141－8202
目黒セントラルスクエア

電話 編集〇三（五四〇三）四三四九
販売〇四九（二九三）五五二一

振替 〇〇一四〇－〇－四四三九二

印刷
製本 大日本印刷株式会社

ISBN978-4-19-894867-2 （乱丁、落丁本はお取りかえいたします）